Chères lectrices,

Que faire lorsque le destin vous confie la garde d'un enfant ? C'est l'expérience bouleversante que vont vivre, ce mois-ci, trois de nos héroïnes. Après cette aventure incroyable, toute leur vie en sera à jamais métamorphosée. Pour le meilleur, bien sûr...

Dans *Un pari déraisonnable* (n°2633), Claire va devoir élever le bébé de sa sœur. Mais elle n'est pas au bout de ses surprises car cette responsabilité inattendue va l'amener à faire la rencontre d'un homme très particulier... Abby, elle, pour respecter une promesse qu'elle a faite autrefois (*Un serment princier* - n°2635), a endossé une fausse identité et vit avec Michael, un petit garçon de quatre ans qui n'est pas son fils mais qu'elle aime comme son propre enfant... Quant à Callie (*Le passé à conquérir* - n°2636), la vie lui offre une deuxième chance en lui permettant de retrouver ses jumeaux de huit ans, dont elle a été séparée dès leur naissance...

Découvrez sans plus tarder ces trois histoires emplies d'émotions et de rebondissements, où les raisons du cœur vont bien sûr l'emporter sur toutes les difficultés.

Excellente lecture !

La responsable de collection

Un homme à aimer

KATHRYN ROSS

Un homme à aimer

COLLECTION AZUR

*éditions*Harlequin

*Cet ouvrage a été publié en langue anglaise
sous le titre :*
MISTRESS TO A RICH MAN

HARLEQUIN®

est une marque déposée du Groupe Harlequin
et Azur ® est une marque déposée d'Harlequin S.A.

*Toute représentation ou reproduction, par quelque procédé que ce soit, constituerait
une contrefaçon sanctionnée par les articles 425 et suivants du Code pénal.*
© 2005, Kathryn Ross. © 2006, Traduction française : Harlequin S.A.
83-85, boulevard Vincent-Auriol, 75013 PARIS — Tél. : 01 42 16 63 63
Service Lectrices — Tél. : 01 45 82 47 47
ISBN 2-280-20536-X — ISSN 0993-4448

1.

La perfidie est, dit-on, l'apanage des femmes.

Libby ne partageait pas du tout ce point de vue. Surtout pas en ce vendredi soir, alors que son petit ami avait vidé son compte en banque et qu'au passage il se payait le luxe de lui mettre le cœur en miettes ! Sans compter qu'à présent elle allait devoir se mettre en quête d'un autre logement. Car, malgré un bon job dans la publicité, elle ne pourrait pas longtemps faire face seule au loyer de leur maison de Merrion Terrace.

En face d'elle, Chloe, sa meilleure amie, qui l'avait retrouvée dans leur bar à vin favori, la considérait d'un air dubitatif.

— Nous avions un compte joint, expliqua Libby. J'aurais dû le résilier quand il m'a quittée. Mais, franchement, je n'aurais jamais cru Simon capable d'une chose pareille.

— En as-tu parlé avec lui ?

— Pas encore, répondit-elle, maussade. Il n'est pas joignable, j'ai toujours affaire à son répondeur.

Il n'était que 17 h 30, mais les clients commençaient à affluer, comme chaque vendredi soir. La plupart venaient des nombreux bureaux de ce quartier d'affaires londonien pour bavarder autour d'un verre entre collègues avant le week-end.

Discrètement, Chloe se pencha vers Libby.

— Ne te retourne pas, souffla-t-elle, mais il y a un homme à la table à côté qui n'arrête pas de te regarder. J'ai l'impression qu'il nous écoute.

— Bof, je m'en moque. Qu'on ne me parle plus des hommes.

— Allons, ne dis pas de bêtises ! Tu rencontreras quelqu'un d'autre et tu retomberas amoureuse.

— Je ne sais même pas si je crois encore en l'amour. En tout cas, la prochaine fois — s'il doit y avoir une prochaine fois —, j'écouterai davantage ma tête que mon cœur. Et, tant qu'à faire, je choisirai d'être la maîtresse d'un homme riche. Très riche !

Chloe s'esclaffa.

— Ah oui ! Tu donnerais jusqu'à ta chemise, et tu voudrais me faire croire que tu es intéressée ?

— Eh bien, j'ai changé ! Tu bois un autre verre, Chloe ?

Comme elle se tournait vers le bar, l'attention de Libby fut attirée par l'écran géant de la télévision. C'était les actualités, et on montrait un homme sortant d'une limousine. La caméra amorça un gros plan sur son visage.

Elle se figea, tétanisée. C'était son père. Comment était-ce possible ?

Sa stupeur n'avait d'égale que son émotion. Voyons, son père était mort il y avait bien longtemps de cela ! Du moins, c'est ce que lui avait dit sa mère.

Elle fixa l'écran, incrédule.

Mais non, c'était bien lui. Elle n'avait que sept ans lorsqu'il était parti, mais elle le reconnaissait formellement. Il n'avait guère changé. Ces cheveux noirs, ce regard bleu perçant dont elle avait hérité… Oui, c'était bien Carl Sheridan.

Que faisait-il à la télévision ? Et où était-il pendant toutes ces années ? Et, surtout, pourquoi sa mère lui avait-elle fait croire qu'il était mort ?

La voix de son amie lui parvint comme de très loin.

— Libby… Qu'y a-t-il ?

— C'est mon père ! balbutia-t-elle, incapable de quitter l'écran des yeux.

— Qui donc ? demanda Chloe, suivant son regard.

— Cet homme, à la télé… Carl Sheridan. Tu entends ce qu'ils disent à son sujet ?

Car, elle avait beau tendre l'oreille, le brouhaha ambiant l'empêchait de distinguer les commentaires qui accompagnaient les images.

— Mais, Libby, c'est Carl Quinton ! L'acteur de cinéma américain.

Libby regarda son amie, étonnée.

Chloe travaillait dans les relation publiques et, à ce titre, elle suivait de près l'actualité dans les médias. Elle était au courant de tout, savait toujours qui faisait quoi. Mais, cette fois, elle se trompait assurément.

— Tu peux me croire, Chloe, c'est mon père. Et il n'est pas américain, c'est un Londonien pure souche.

— Ah ? En tout cas, il est connu sous le nom de Carl Quinton. Justement, je lisais un article sur lui, récemment.

— Et que disait cet article ?

— C'était un résumé de son parcours artistique. Apparemment, il a débuté dans une série dramatique pour une chaîne de télévision californienne et, vu son succès, on lui a proposé un premier rôle à Broadway. Depuis, il est connu aux Etats-Unis, mais il n'a pas encore vraiment percé en Europe. Cela ne saurait tarder : il vient de terminer avec Julia Hynes un film qui sera présenté au Festival de Cannes.

Libby allait de surprise en surprise.

— Es-tu sûre que nous parlons de la même personne ?

— Sûre et certaine. Aux Etats-Unis, Carl Quinton est une vedette. Il vit à Beverly Hills, il a été marié et a divorcé trois fois. Mais on ne lui connaît pas d'enfant.

— Eh bien, moi, je suis sa fille, répondit Libby avant de reporter son attention sur l'écran. Et son vrai nom est Carl Sheridan. Ma mère et lui se sont séparés quand j'avais sept ans.

Là-dessus, l'homme de la table voisine se pencha et posa une main sur son bras.

— Excusez-moi, mademoiselle. Carl Quinton serait votre père ?

Libby se tourna vers lui.

L'inconnu présentait une épaisse tignasse de cheveux blonds et de petits yeux gris inquisiteurs dans un visage pâle. Il y avait quelque chose d'étrange, de déstabilisant même, dans la façon dont il posa la question.

— Non, répondit-elle froidement, se dégageant d'un geste.

Mais l'homme, loin d'en prendre ombrage, vint s'asseoir sur le tabouret demeuré inoccupé à leur table.

— Je m'appelle John Wright, je suis journaliste indépendant. J'aimerais beaucoup en savoir plus sur les dessous de la vie de Carl Quinton.

— Désolée, mais j'ignore les dessous de la vie de Carl Quinton.

— J'ai cru comprendre que vous n'aviez pas vu votre père depuis longtemps ?

— Fichez-moi la paix et occupez-vous de vos affaires !

— J'ai entendu malgré moi que vous avez quelques difficultés financières et je suis prêt à vous payer votre interview, poursuivit l'homme, imperturbable. A le payer très cher, même…

— Je ne veux pas de votre argent, coupa Libby en se levant. Chloe, sortons d'ici.

Ce fut pour elle un soulagement de se retrouver à l'extérieur, et ce malgré la pluie battante qui les accueillit sur le trottoir.

Toutes deux étaient trempées lorsqu'elles réussirent à arrêter un taxi. Une fois installée sur la banquette, Libby desserra son poing et découvrit, stupéfaite, une petite carte de visite. Il y était écrit un nom — « John Wright, journaliste d'investigation » — suivi d'un numéro de téléphone.

Libby referma le poing sur la carte pour la froisser, avant de la glisser dans sa poche.

10

— Encore un de ces journalistes en mal de scandale ! Tout ce qui les intéresse, c'est de fouiller dans la fange.

Elle appuya la tête contre le dossier et ferma les yeux, agitée par un incoercible tremblement.

Quelle émotion de revoir ce père qu'elle croyait mort ! Des souvenirs lui revenaient en foule, souvenirs de jeux, de tendresse partagée, comme quand il venait lui raconter une histoire dans son lit avant de lui dire bonsoir. Elle se rappelait jusqu'au parfum de son eau de toilette. Mais son souvenir le plus poignant, c'était celui du jour où il était parti.

« Je dois m'en aller, ma chérie, mais ne crois pas que je ne t'aime pas. »

Elle se revit, petite fille en larmes, le suppliant de ne pas partir.

« Il le faut, mon ange. Ne t'inquiète pas, je reviendrai. »

Désespérée, elle s'était accrochée à lui, mais sa mère l'avait écartée. Elle s'était débattue, avait réussi à échapper à sa mère. Au moment où elle allait rattraper son père, cependant, la porte s'était refermée sur lui.

Même après tant d'années, ce souvenir la bouleversait. Son père n'était jamais revenu. A chaque anniversaire, chaque Noël, elle avait espéré un signe de sa part, en vain.

Puis un jour, peu de temps avant ses dix ans, sa mère lui avait annoncé qu'il était mort. Pourquoi un tel mensonge ? Le plus rageant, c'est qu'elle ne pouvait plus le lui demander, vu qu'elle et son beau-père avaient trouvé la mort dans un accident de train, un an auparavant.

Jusqu'à aujourd'hui, elle croyait n'avoir plus de famille.

— Que comptes-tu faire ? s'enquit Chloe.

— Me mettre à sa recherche, bien sûr, répondit-elle sans l'ombre d'une hésitation.

L'avion décrivait un large cercle au-dessus de la mer pour se
préparer à l'atterrissage.

Libby apercevait distinctement les pinèdes verdoyantes du littoral
et les taches blanches des yachts posés sur l'eau. La Côte d'Azur était
inondée de soleil, et la ville de Nice s'offrit bientôt à son regard, blottie
au fond de la baie des Anges dans son écrin de collines.

Malgré les circonstances un peu angoissantes de ce voyage dans
le midi de la France, elle éprouva une bouffée d'allégresse. Comment
rester insensible à ce ciel si bleu, à cette mer étincelante ? Quant à
ses retrouvailles avec son père, elles se passeraient bien. Du moins
voulait-elle l'espérer.

A l'approche de ce moment tant attendu, elle se prenait parfois à
douter, à envisager même que son père ne vienne pas, qu'il ne veuille
pas la voir… Entrer en contact avec lui s'était révélé plus difficile que
prévu. Elle avait d'abord tenté de le joindre par le biais de son studio
de cinéma en Californie, mais sans succès. Manifestement, on n'avait
pas cru qu'elle était la fille de Carl Quinton. Sans doute l'avait-on
prise pour une fan trop pressante. En désespoir de cause, elle avait fait
appel aux relations professionnelles de Chloe pour contacter l'agent
de son père. Admirative, celle-ci lui avait appris qu'il s'agissait de
Marc Clayton, l'un des plus grands noms dans ce milieu. Son père
devait vraiment être une vedette pour s'offrir les services d'une telle
célébrité. Très sollicité, Marc Clayton ne choisissait sa clientèle que

parmi les artistes les plus en vue. Il avait une réputation d'homme d'affaires implacable, mais il négociait toujours d'excellents contrats pour ses clients, gérait finement leur promotion et en faisait souvent de superstars. Au passage, lui-même s'était constitué à trente-trois ans une fortune rondelette.

Libby l'avait vu quelquefois à la télévision ainsi qu'en photo dans le journal. La presse féminine avait même publié des images de son mariage avec la belle actrice de cinéma Marietta Zanetti, et d'autres, quelques mois plus tard, à la naissance de leur bébé. Ils avaient tout du couple idéal, pourtant ils avaient divorcé un an après. Depuis, Marietta consacrait apparemment son énergie au développement de sa carrière à Hollywood, alors que Marc passait beaucoup de temps en Europe, où il avait ouvert plusieurs agences.

Libby lui avait envoyé un mail accompagné d'une lettre pour son père sans se faire trop d'illusions sur les chances de succès de sa requête. Elle avait donc pris les devants et avait réservé un vol à destination du sud de la France ainsi qu'une chambre d'hôtel pour une semaine. Elle savait que son père serait à Cannes pour le Festival. Elle le chercherait donc en personne, dût-elle pour cela faire le siège jour et nuit devant le Palais des Festivals.

Son premier mail étant resté sans réponse, Libby en avait envoyé un second où elle informait Marc Clayton de ses projets et laissait clairement entendre qu'elle était déterminée à rencontrer son père avec ou sans son concours. A sa surprise, Clayton lui avait répondu immédiatement, s'excusant même de ne pas s'être manifesté plus tôt.

Il avait transmis son message à son père, qui avait hâte de la voir à Cannes, expliquait-il. Mais, en raison d'engagements antérieurs, Carl arriverait en France deux jours après elle. En attendant, lui-même serait très honoré qu'elle veuille bien dîner avec lui le jour de son arrivée.

Le fait que son père ne lui ait pas répondu directement avait un peu déçu Libby, elle devait bien l'admettre. Quant à l'invitation de

Marc Clayton, cela avait été une totale surprise. Maintenant encore, alors que l'avion s'était posé sur la piste, elle se demandait bien pourquoi l'agent de son père voulait dîner en sa compagnie.

La récupération des bagages fut rapide, et elle se retrouva bientôt dans le hall de l'aérogare.

Marc repéra aussitôt la jeune femme.

A la réception du message électronique de cette Libby Sheridan, il avait fait appel à un détective privé pour se renseigner sur elle, mais la photo qu'on lui avait transmise était loin de la montrer sous son meilleur jour. En chair et en os, la jeune Anglaise était absolument ravissante, et il ne faisait aucun doute qu'elle était la fille de Carl. La ressemblance était frappante. Grande, tout en jambes, elle traversait l'aérogare d'une démarche à la fois assurée et gracieuse, ses longs cheveux bruns étincelant de reflets mordorés sous les puits de lumière. C'était une femme pulpeuse, mais avec des rondeurs juste là où il fallait. Rondeurs que soulignaient joliment un T-shirt blanc moulant et un jean. Pour tout bagage, elle avait un sac de voyage en bandoulière sur l'épaule.

Elle marchait vers la sortie en direction de la station de bus quand il l'appela :

— Mademoiselle Sheridan ?

Elle se retourna et posa sur lui le regard limpide de grands yeux bleus.

— Oui ?

— Je me présente, Marc Clayton.

— Oh… Je ne m'attendais pas à vous voir ici.

Libby posa son sac à terre afin de serrer la main qu'il lui tendait. Et là, pendant qu'ils se saluaient ainsi, les yeux dans les yeux, son cœur se mit à battre très fort.

14

Elle savait d'après les photos que Marc Clayton était bel homme, mais la réalité était autrement plus troublante. Il possédait un charme absolument ravageur. L'éclat de ses yeux bruns, veloutés avait quelque chose de très sexy. Il était grand, très grand même, athlétique, avec d'épais cheveux bruns et un visage anguleux aux traits fermes, énergiques. Mais ce qui frappait le plus en lui, c'était l'aura de puissance qui semblait l'envelopper.

— Votre père n'étant pas là pour vous accueillir, j'ai pensé que c'était à moi de vous conduire à votre hôtel.

Avant qu'elle ait pu réagir, il se saisit de son sac.

— Euh, c'est très gentil, mais ce n'était pas la peine, répondit-elle, plutôt interloquée.

Elle savait que le temps de Clayton était précieux. Chloe lui avait confié qu'un jour son patron avait voulu prendre rendez-vous avec lui et s'était heurté à une fin de non-recevoir de la part de sa secrétaire : l'agenda de M. Clayton était complet pour les trois mois à venir, leur avait-on répondu en substance. « C'est un homme très influent, avait conclu Chloe. On ne le voit pas comme ça ! »

Pourquoi donc avait-il pris sur son temps pour venir la chercher ? N'avait-il pas plus important à faire à la veille du Festival de Cannes ? Elle n'eut pas le loisir cependant de lui poser la question, car il se dirigeait déjà d'un pas décidé vers la sortie.

A l'extérieur, la chaleur ambiante la surprit. Elle dut allonger le pas pour ne pas se laisser distancer par son compagnon. Sa voiture, une Mercedes décapotable, était garée non loin de là. Après avoir rangé dans le coffre le sac de Libby, il retira sa veste de costume et la jeta sur la banquette arrière, puis il lui ouvrit la portière avant côté passager.

— Au fait, vous me dites dans votre mail que vous logerez à l'hôtel Rosette. D'après mes renseignements, ce n'est pas une bonne adresse. Aussi ai-je pris la liberté de vous réserver une chambre à l'hôtel Emporium.

Déconcertée par ces manières autoritaires, Libby mit quelques secondes à assimiler le sens de ces paroles.

Eh bien, non, elle n'était pas d'accord !

— Pourquoi avez-vous fait ça ?

— Parce que le Rosette a deux étoiles et que l'Emporium en a cinq. J'ai pensé tout naturellement qu'il serait plus confortable.

Elle sentit la moutarde lui monter au nez. Son caractère indépendant s'accommodait mal d'une telle façon d'agir.

— Monsieur Clayton, j'ai réservé à l'hôtel Rosette parce que c'est *là* que je voulais aller.

Et aussi parce que son prix entrait dans son budget !

Cette réponse parut vaguement amuser son interlocuteur. « Comment peut-on préférer un deux-étoiles à un cinq-étoiles ? » semblait dire son petit sourire.

Cela irrita encore plus Libby.

— Voyez-vous, monsieur Clayton, j'apprécie que vous soyez venu me chercher, mais je ne peux m'empêcher de me demander pourquoi vous avez pris cette peine.

— Je vous l'ai dit. En l'absence de votre père, il m'a semblé préférable de m'assurer que tout se passait bien pour vous.

— Je n'ai pas besoin que l'on s'occupe de moi en l'absence de mon père, vraiment. Je fais ça très bien depuis vingt ans… En fait, j'aimerais que vous me déposiez à l'hôtel que *j'ai* réservé. D'une part, il correspond à mes possibilités financières du moment et, d'autre part, j'ai dit à mes proches que je logerais là.

— Je vois, murmura Marc, un brin moqueur.

La demoiselle n'avait pas mis longtemps à évoquer les questions d'argent, nota-t-il en lui-même.

Mais son ton chargé de sous-entendus déconcerta Libby.

— Quoi ? Que voyez-vous, monsieur Clayton ?

— Montez, voulez-vous ? Je suis en stationnement interdit, je préférerais ne pas m'attarder. Nous pourrons continuer notre conversation dans la voiture.

Pendant qu'elle s'installait à bord, il eut tout loisir d'admirer le charmant arrondi de son postérieur. Elle était vraiment très, très sexy ! C'était là une distraction dont il se serait passé.

Une fois dans la voiture, sa passagère fouilla dans son sac à main et en sortit un élastique avec lequel elle entreprit de s'attacher les cheveux.

— Je ne m'attendais pas à une telle chaleur !

— Vous êtes dans le sud de la France.

— Je sais, mais nous ne sommes qu'au mois de mai. Et il faisait si mauvais temps à Londres, si froid…

Elle leva la tête pour offrir son visage au soleil.

— Quel bonheur, ajouta-t-elle dans un soupir de bien-être. Ce que j'aimerais pouvoir rester davantage qu'une semaine !

Il lui jeta un coup d'œil à la dérobée tout en conduisant.

— Oh, le temps peut être assez capricieux ici, au printemps, s'empressa-t-il de répliquer. Nous avons parfois des pluies torrentielles, ou des épisodes de très fort mistral.

Il ne tenait guère à ce que Mlle Sheridan s'attarde trop. Elle risquait de le gêner sérieusement dans la promotion du film de Carl !

Avec sa queue-de-cheval, on aurait presque dit une gamine. Elle avait un profil ravissant, un adorable petit nez, des pommettes hautes, une bouche fraîche et appétissante comme un fruit mûr… Assez ! S'il continuait dans cette voie, Libby Sheridan ne le perturberait pas seulement dans ses activités professionnelles. Il devait plutôt s'intéresser à la raison réelle de sa venue en France.

— Donc, si j'ai bien compris, vous n'êtes pas très fortunée en ce moment ? Sinon, vous resteriez plus longtemps et logeriez dans un meilleur hôtel.

Libby se tourna vers lui, décontenancée par l'impertinence de sa question.

— Je ne reste qu'une semaine parce que j'ai mon travail qui

m'attend, figurez-vous. Quant à l'hôtel Rosette, je l'ai choisi parce qu'il me plaisait bien.

— Dites plutôt que, pour l'instant, vous vous en accommodez.

Elle se raidit.

— Où voulez-vous en venir, monsieur Clayton ?

— J'essaie de savoir la vérité, mademoiselle Sheridan. Mais je peux vous appeler Libby, c'est bien ainsi que l'on vous appelle ?

— Mes amis, oui, répondit-elle, glaciale.

Cela le fit sourire.

— Et vous pouvez m'appeler Marc. Voyez-vous, *Libby,* je suis un homme très occupé. Aussi, je propose d'aller droit au but.

— C'est-à-dire ?

— Combien voulez-vous ?

La jeune femme ne sembla pas comprendre la question.

— De quoi parlez-vous au juste ?

— Des faits, tels qu'ils sont. A savoir que, malgré toute la bonne volonté de votre père, vous n'avez pas voulu entendre parler de lui pendant toutes ces années.

La bouche de son interlocutrice s'ouvrit dans une parfaite expression de stupeur.

— Et, maintenant que Carl est devenu une star, poursuivit-il, qu'il est riche et célèbre, voilà que vous vous manifestez. Accusez-moi de cynisme si vous voulez, mais le moment que vous avez choisi me laisse penser que vous n'aspirez pas simplement à de tendres retrouvailles.

— Ce à quoi j'aspire ne vous regarde pas, monsieur Clayton ! rétorqua-t-elle, frémissant de fureur. Comment pouvez-vous me soupçonner d'une telle bassesse ? Vous ne me connaissez pas, vous ne savez rien de mes rapports avec mon père.

— Si, je sais ce qu'il m'en a dit.

Cette réponse parut ébranler encore plus profondément Libby.

— Que vous a-t-il dit ?

18

Marc se tourna de nouveau vers sa passagère. Elle avait les joues en feu. Ses yeux dilatés de colère lançaient des éclairs.

— Vous devriez vous essayer au cinéma, observa-t-il. Vous avez de réels talents pour la comédie !

— Alors, que vous a dit mon père ? répéta Libby d'une voix blanche.

Mais comme elle redoutait la réponse à venir ! Pourquoi son père avait-il menti ? Comme s'il n'était pas assez dur pour elle d'avoir grandi sans jamais la moindre nouvelle de lui !

— Il m'a dit qu'il vous avait écrit régulièrement des cartes, des lettres, qu'il vous avait envoyé de l'argent et de beaux cadeaux et que ses courriers lui avaient toujours été retournés… mais pas l'argent et les cadeaux.

— Je refuse de croire qu'il vous a dit ça ! Pourquoi me racontez-vous des choses pareilles ?

— Parce que c'est la vérité. Pour vos dix-huit ans, il a même essayé de vous voir, mais vous lui avez fermé la porte au nez. Vous lui avez dit que vous le détestiez, que vous ne souhaitiez plus le revoir.

La première réaction de Libby fut de vouloir crier au mensonge. Mais traiter implicitement son père de menteur face à cet homme — cet étranger — lui était insupportable.

— De toute façon, tout cela ne vous regarde pas, se borna-t-elle à répondre, frémissante. J'aimais mon père.

— Vous l'*aimiez* ? Vous en parlez à l'imparfait ?

Libby serra les dents.

— Je l'aime toujours.

Il lui en coûtait de l'admettre, surtout devant Marc Clayton, mais c'était la vérité. En dépit de tout, elle aimait toujours son père, oui. Et, s'il avait réellement raconté ces horreurs à Marc, il devait avoir de bonnes raisons. En tout cas, elle l'espérait. Elle l'espérait si ardemment que cela la surprit. Elle n'avait pas mesuré jusqu'à présent à quel point elle désirait la réussite de ces retrouvailles. Se jeter de nouveau dans les bras de son père. Il lui avait tant manqué !

Elle détourna la tête pour dissimuler les larmes qui commençaient à lui brûler les paupières.

— Quoi qu'il en soit, reprit Marc avec brusquerie, il serait bon que nous parvenions à un arrangement avant que la presse ne fourre son nez dans cette affaire.

— Un arrangement ? Que voulez-vous dire ?

— Un arrangement financier, bien sûr.

— Je n'en veux pas, de votre argent !

— Il n'y a que celui de votre père qui vous intéresse ? A moins que vous espériez vendre votre petite histoire à la presse et que toutes les télés se disputent vos confessions pendant quelque temps ?

— Allez au diable !

— Nous avons quelques détails à régler…

— Je ne règle rien avec vous. Je ne veux avoir affaire qu'à mon père.

— Pour commencer, vous pouvez loger à l'hôtel Emporium, bien sûr, je prends les frais à ma charge et…

— Vous n'écoutez jamais ce qu'on vous dit ? s'indigna Libby, le foudroyant du regard. Cela se passera entre mon père et moi. Et je n'irai pas à l'hôtel Emporium. Si vous m'y emmenez, j'en repartirai, voilà.

— Ah, vous êtes têtue. Soit, je vous dépose au Rosette.

Stoïque, elle ne releva pas et continua de regarder le paysage qui défilait.

Ils étaient arrivés à Cannes et roulaient sous les palmiers de la Croisette. En temps normal, elle aurait été aux anges, elle n'aurait perdu aucun détail des façades luxueuses des palaces et des magasins le long du boulevard. L'approche du Festival se signalait par la présence d'immenses affiches un peu partout annonçant les films qui seraient projetés. L'émotion étreignit le cœur de Libby quand, sur l'une d'elles, elle reconnut son père en compagnie de sa partenaire dans le film, la célèbre Julia Hynes. Il était particulièrement beau sur cette photo, jamais on ne lui aurait donné quarante-cinq ans !

Quittant l'animation du front de mer, Marc obliqua bientôt vers le vieux Cannes.

— Je crains que votre hôtel ne soit assez éloigné de la Croisette, Libby.

— Peut-être. Mais je parierais qu'il doit être plus près de là où logera mon père que celui où vous comptiez m'emmener.

Elle vit une lueur amusée s'allumer dans l'œil de son chauffeur.

— Je vous trouve bien méfiante, Libby.

— Justement, à quel hôtel mon père descendra-t-il quand il viendra ? ajouta Libby dans la foulée. Au Carlton, je suppose ?

Il sourit.

— C'est ce que vous auriez aimé pour vous-mêmes peut-être ? Un séjour au Carlton, tous frais payés ?

— Bien sûr ! Et, au minimum, une suite avec balcon et vue sur la mer.

C'était une plaisanterie, évidemment, mais en jetant un coup d'œil à Marc Clayton elle se rendit compte, effarée, qu'il la croyait sérieuse. Ce type était vraiment un cas ! Arrogant, impertinent… Et quelle piètre opinion il avait d'elle ! Mais, après tout, elle s'en moquait. L'important était qu'il ne compromette pas ses retrouvailles avec son père ni, pire, qu'il lui monte la tête contre elle !

— Au fait, mon père est bien au courant que je suis en France ? s'enquit-elle tout à coup, saisie d'un doute.

— Oui, je vous l'ai dit, je lui ai transmis votre mail.

— Bon… Et, d'après vous, il l'a bien reçu ?

Marc Clayton s'était garé devant un petit hôtel à la façade modeste. Il coupa le moteur et lui fit face.

— Oui, il l'a bien reçu. Nous nous sommes liés d'amitié, votre père et moi. Il ne me viendrait pas à l'idée de lui cacher quelque chose. Surtout une chose dont je sais qu'elle est si importante pour lui.

— Vous croyez que… que je compte vraiment pour mon père ? ne put s'empêcher de demander Libby d'une petite voix.

Son interlocuteur eut l'air étonné, et un voile d'incertitude adoucit son expression.

— Bien sûr que oui, Libby. Cela a été un crève-cœur pour Carl de vous perdre. Il s'est longuement confié à moi sur ce sujet. Toutes ces années loin de sa fille l'ont beaucoup affecté.

Elle l'écoutait, suspendue à ses lèvres. Elle avait tellement envie de le croire !

Soudain, il porta la main vers elle pour lui caresser la joue.

— Tout ira bien, ne vous inquiétez pas.

Quand Marc Clayton lui effleura le visage, cela provoqua en elle une émotion tout à fait inattendue. Libby avala sa salive. Il lui semblait qu'un étrange sortilège était en train de se tisser entre eux… Un instant plus tôt, elle pensait à son père, et voilà que, face aux prunelles sombres de cet homme qui la contemplait, elle se sentait comme gagnée par le vertige, comme aspirée dans un irrésistible tourbillon de sensualité.

La confusion et le désir se mêlaient en elle, se livrant une âpre bataille qui faisait battre encore plus vite son cœur. Elle remarqua que Marc posait les yeux sur ses lèvres, et elle les humecta nerveusement.

Quel goût aurait un baiser de cet homme ?

Cette pensée la choqua. Comme pouvait-elle imaginer un seul instant se laisser embrasser par ce monstre d'arrogance ?

Non sans mal, elle s'arracha à l'emprise de son regard et s'efforça de se ressaisir.

Marc Clayton jouait un jeu avec elle, comprit-elle. S'il se montrait gentil et sympathique tout à coup, ce n'était que pour pouvoir mieux contrôler la situation. Cette pensée l'aida à recouvrer un peu de son assurance.

— Oh, je ne m'inquiète pas. Tout ira bien, affirma-t-elle. Et tout ira encore mieux quand j'aurai vu mon père.

— Je suis sûr que Carl veillera à votre bien-être matériel, si c'est ce à quoi vous pensez… Voyez-vous, devant votre air de petite fille perdue, je serais presque tombé dans le panneau. Pour un peu, j'aurais cru que vous teniez sincèrement à votre père.

Elle le fixa, atterrée. Dire qu'un instant plus tôt elle fantasmait sur un baiser de cet homme !

— Eh bien, moi aussi, j'ai failli me laisser berner, figurez-vous. Pour un peu, j'aurais cru qu'il y avait tout de même une once d'humanité en vous !

Marc regarda Libby Sheridan sortir rageusement de la voiture, et un petit sourire erra sur ses lèvres.

Il répugnait à l'admettre, mais il y avait quelque chose dans la personnalité de cette femme qui forçait son admiration. Pourquoi avait-il éprouvé le besoin de la consoler ? s'étonna-t-il. Comment expliquer cet élan qui le poussait vers cette femme ? Sans pouvoir expliquer pourquoi, il avait eu soudain envie de la prendre dans ses bras, de la serrer contre son cœur… ce qui était absurde ! Cette femme n'était qu'une comédienne, et seul l'argent l'intéressait. L'homme d'affaires réaliste qu'il était ne se laissait pas abuser par son petit jeu, mais elle l'intriguait.

Libby comptait visiblement récupérer ses bagages et le planter là, mais le coffre lui causait quelques problèmes.

Il la rejoignit à l'arrière de la voiture avec un petit sourire narquois.

— Je vous aide ?

Impassible, elle se contenta d'attendre qu'il sorte son sac de voyage du coffre.

— Merci, dit-elle d'un ton sec quand ce fut fait.

Mais, lorsqu'elle voulut prendre le sac, il ne le lui donna pas.

— Je vais vous le porter.

— Non, ce n'est pas la peine…

— Si, si, j'y tiens, assena-t-il. J'ai promis à votre père de m'occuper de vous. Donc je ne peux pas vous laisser comme ça.

— Oh, marmonna Libby, je ne vous en voudrais pas.

Mais Marc n'entendit pas, il filait déjà vers l'hôtel.

Elle le rejoignit à la réception.

— C'est bon, je me débrouillerai, maintenant !

Marc ne releva pas et agita la cloche qui se trouvait sur le comptoir.

Elle se résigna à attendre sans broncher que quelqu'un arrive. A quoi bon lui redemander de partir ? Il n'en faisait qu'à sa guise. Pour tromper son exaspération, elle promena les yeux autour du hall. Il y avait un petit salon à l'opposé du comptoir de réception. Le lieu était un peu sombre mais très coquet, et la décoration de style provençal apportait une note à la fois simple et chaleureuse.

— Ce n'est pas si mal, fit Marc quand elle reposa les yeux sur lui.

— Je le savais, figurez-vous, je n'en suis pas surprise.

En fait, elle avait réservé là un peu au hasard, en espérant simplement n'être pas déçue par son choix.

Un homme sortit d'une pièce à l'arrière et Marc lui adressa la parole dans un français parfait.

Cela déconcerta quelque peu Libby. Elle ne s'attendait pas à ce qu'un coach américain eût une telle aisance dans cette langue. Qui plus est, le français avait une résonance si sexy dans sa bouche qu'elle l'aurait écouté pendant des heures…

— Vous avez la chambre 411. C'est au quatrième étage. Voulez-vous que je vous accompagne ?

— Non, certainement pas, répondit-elle, se ressaisissant.

— Bien. Dans ce cas, à ce soir, Libby, conclut nonchalamment Marc. Disons, vers 19 heures ?

— Pardon ?

— Nous dînons ensemble. Vous aviez oublié ?

Elle fit mine de réfléchir.

— Eh bien, dans le flot de vos insultes, ça m'avait échappé, en effet.

— Moi, je vous ai insulté ? Je dirais plutôt que nous nous sommes jaugés l'un l'autre.

— Je vous ai jaugé, effectivement. Jaugé et jugé. Et c'est pourquoi il n'est pas question que je dîne avec vous ce soir. Ça me donnerait la nausée !

Il sourit.

— Ah, vous avez le goût du théâtral !

— En plus de tout le reste. Je suis déjà intéressée, comédienne… De quoi d'autre m'accuserez-vous ?

— Vous ne seriez pas un peu aguicheuse, aussi ?

Elle eut un sursaut de stupeur. Clayton aurait-il décelé la folle attirance qu'elle avait brièvement ressentie un peu plus tôt à son égard ? Se serait-elle trahie ? Cette idée la mortifiait.

— Je ne vois vraiment pas ce qui vous fait insinuer une chose pareille ! répliqua-t-elle, affectant l'indignation.

— Votre attitude envers moi. Vos battements de cils, votre façon de jouer de vos charmes pour marquer des points…

Ce fut dit dans un murmure, de façon presque langoureuse, et, comme son interlocuteur posait les yeux sur ses lèvres, un invincible émoi fit battre le cœur de Libby.

— C'est très… troublant, ajouta-t-il. Malheureusement pour vous, je ne suis pas dupe de votre petit numéro.

— Vous dites n'importe quoi ! vociféra-t-elle, définitivement outrée. Je n'ai jamais eu ce comportement avec vous. En fait, vous m'êtes si désagréable que je préférerais ne plus jamais croiser votre chemin !

Sa repartie le fit sourire.

— Je viens vous chercher à 19 heures, donc.

— Marc, je ne veux pas dîner avec vous, je…

— Je ne veux *rien* savoir, l'interrompit-il, désinvolte. Nous avons à discuter de choses importantes, ce soir.

— De quoi ? demanda-t-elle malgré elle.

— De votre père, entre autres. Il y a quelques petits détails à mettre au clair.

— Quoi ? Lesquels ?

— Nous en parlerons ce soir.

— La seule personne avec qui je veuille parler, c'est mon père !

— Si vous avez un tant soit peu d'affection pour lui, vous m'attendrez ici même ce soir à 19 heures, déclara-t-il avec fermeté avant de tourner les talons. Soyez ponctuelle.

Furieuse, Libby se saisit de son sac et s'engouffra dans l'ascenseur.

« Soyez ponctuelle. » Quelle impertinence ! Elle tiendrait parole. Pas question de dîner avec ce personnage !

Avant que les portes ne se referment, elle eut le temps d'entrevoir Clayton montant dans sa voiture. Malgré l'extrême agacement qu'il lui inspirait, elle ne put s'empêcher de le trouver séduisant avec son T-shirt noir et son pantalon de costume beige. Avait-il du sang français dans les veines ? Outre des goûts vestimentaires très sûrs, ses yeux noirs et ses cheveux bruns pouvaient laisser supposer des origines latines. De plus, quand il s'était adressé en français à l'hôtelier, cela lui était venu tout naturellement.

Avec de tels atouts, nul doute que Marc Clayton devait plaire aux femmes.

Mais pas à elle ! L'homme était bien trop odieux pour qu'elle lui trouve un quelconque attrait !

3.

Au quatrième étage, Libby sortit de l'ascenseur et se retrouva sur le palier.

Il n'y avait pas de fenêtre, il faisait noir comme dans un four. Après quelques instants, elle finit par trouver un interrupteur, mais, avant qu'elle ne soit parvenue à sa chambre, la lumière s'éteignit, l'obligeant à continuer son chemin à tâtons dans l'obscurité.

Heureusement, sa chambre était charmante. Le soleil y entrait à flots par deux hautes fenêtres qui donnaient sur des maisons bourgeoises de l'autre côté de la rue. Les jardinières des balcons croulaient sous les géraniums.

Elle resta un moment à contempler la vue.

Cannes, la Côte d'Azur… C'était là qu'elle allait bientôt retrouver son père. Curieux clin d'œil du destin, c'était aussi là qu'ils avaient passé leurs dernières vacances en famille. Du moins, pas très loin. A Menton. Cela remontait à bien longtemps, et elle n'en gardait qu'un vague souvenir, quelques images volées au passé. Des jeux sur la plage, son père lui apprenant à nager, et avec quelle patience, quelle douceur…

C'est au retour de ces vacances que ses parents s'étaient séparés. Un événement que rien n'avait laissé présager, ni disputes ni tensions familiales. Ils formaient une famille heureuse — du moins la petite fille qu'elle était le percevait-elle ainsi —, et du jour au lendemain son père était parti. Quelques mois plus tard, Sean, le nouveau compagnon de sa mère, s'était installé chez elles. Au début, il avait l'air gentil, mais elle s'était vite aperçue que, derrière son sourire, il cachait un tempérament très dur. Son père lui manquait, elle l'avait réclamé, et cela avait provoqué une vive réaction de Sean. Si bien que, par la suite, elle avait appris à se faire toute petite.

Et puis, environ un an après son mariage avec Sean, sa mère lui avait annoncé que son père était mort. Elle n'avait alors aucune raison de ne pas la croire... A ce souvenir, son cœur se serra. Pourquoi un tel mensonge ? Pourquoi sa mère d'ordinaire si douce, si tendre avait-elle fait une pareille chose ? Pour qu'elle cesse de réclamer son père ? Mais peut-être pensait-elle qu'il ne voulait plus la voir, et son mensonge était-il un acte de charité de sa part.

C'était aussi pour cela qu'elle tenait tant à revoir son père : pour connaître les réponses à ces questions. Et non parce qu'elle convoitait son argent, comme l'avait suggéré Marc Clayton de façon si cynique !

Et puis, elle n'avait plus que lui pour parent, maintenant que sa mère était morte. Cette pensée lui fit monter des larmes aux yeux. Celle-ci avait laissé un tel vide dans son cœur... Mais elle devait regarder vers l'avenir, désormais.

Quand son père arriverait-il à Cannes ? La perspective de leurs retrouvailles imminentes l'emplissait à présent d'une sourde appréhension. S'il avait réellement tenu à son sujet les propos que Marc Clayton lui avait rapportés, elle avait tout lieu d'être inquiète.

Pourquoi son père l'aurait-il dépeinte comme une fille ingrate ? Pourquoi un pareil mensonge ?

Mais, pourquoi Marc, d'un autre côté aurait-il inventé de toutes pièces qu'elle avait refusé de voir son père, lui avait fermé la porte au nez ? Tout cela était incompréhensible.

Libby soupira et appuya son front contre la vitre. Tout compte fait, elle avait intérêt à dîner avec l'ennemi, ce soir. Peut-être apprendrait-elle ainsi des éléments nouveaux.

Et puis, Marc Clayton était son seul lien avec son père. Il fallait

28

bien qu'elle le supporte, aussi horripilant fût-il. Elle avait même intérêt à ne pas se montrer trop désagréable si elle voulait pouvoir compter sur ses bonnes grâces…

Monsieur avait eu l'outrecuidance de l'accuser d'user de ses charmes pour se rendre maîtresse du jeu. Après tout, ce n'était peut-être pas une mauvaise idée ? Si cela pouvait lui permettre de faire avancer les choses dans le sens qu'elle souhaitait… Il avait déclaré également n'être pas dupe de son petit numéro.

Eh bien, décida-t-elle, c'est ce que l'on allait voir !

Se réjouissant déjà de sa petite revanche, elle alla déballer ses affaires. Certes, c'était jouer avec le feu, mais elle avait confiance en elle.

L'adversaire était à sa taille, non ?

La belle assurance de Libby commença à s'émousser à mesure qu'approchait l'heure du rendez-vous que lui avait fixé Marc. Elle se remit un peu d'eau de toilette puis retourna s'examiner dans la psyché de la chambre.

Le choix de sa tenue n'aurait pas dû lui poser de problèmes vu le peu de vêtements qu'elle avait emportés. Elle avait deux robes : une noire, très sobre, très classique, et une autre dans un imprimé de soie bleu turquoise à fines bretelles. Mais, incapable de se décider pour l'une ou l'autre, Libby les avait essayées chacune plusieurs fois avant d'opter finalement pour la plus colorée.

Oh, elle ne cherchait pas particulièrement à impressionner Marc Clayton, mais, pour booster sa confiance en elle, il était nécessaire qu'elle se sente à son avantage. La robe bleue, très féminine, dessinait sa silhouette de façon plutôt sexy… Cela ferait l'affaire, se dit-elle avec fermeté.

Sans plus tarder, elle quitta la chambre et descendit à la réception.

Il n'était pas tout à fait 19 heures, et Marc n'était pas encore arrivé.

Elle s'installa sur l'un des divans et s'empara d'un magazine pour se donner une contenance, avoir l'air calme et décontractée… même si c'était loin d'être le cas.

« Ressaisis-toi ! s'intima-t-elle. Tu n'as pas lieu de te laisser intimider par cet homme. Si tu sais t'y prendre, il te mangera dans la main à la fin de la soirée. »

— Bonsoir. Vous êtes bien mademoiselle Sheridan ? s'enquit une voix enjouée.

Surprise, Libby découvrit à quelques pas un homme au visage vaguement familier. Mais qui était-ce ? Il avait un certain charme, des yeux gris perçants, des cheveux blonds, et il portait un jean et un polo de couleur claire.

— Bonsoir, répondit-elle en retour. Excusez-moi, mais… je vous connais ?

— Oui. John Wright. Nous nous sommes rencontrés dans un bar à Londres, la semaine dernière.

— Ah ! le journaliste, fit-elle, stupéfaite.

En parlant, il s'était assis près d'elle. Comme elle dédaignait la main qu'il lui tendait, il la laissa retomber mais ne se départit pas pour autant de son sourire.

— Oui. Je vous avais donné ma carte, vous vous souvenez ?

— En effet. Et je vous ai dit que je ne pouvais rien pour vous, répondit-elle du tac au tac. Que faites-vous ici ?

— Je suis venu avec quelques amis pour couvrir le Festival.

— Et vous logez ici, à cet hôtel ?

— Oui. Alors, dites-moi, avez-vous pu entrer en contact avec votre père ?

— Vous m'avez suivie jusqu'ici ? demanda-t-elle en retour en le fixant, éberluée.

— Pas du tout. Je vous l'ai dit, je suis venu pour le Festival.

Libby aurait voulu le croire. Comment imaginer en effet qu'un journaliste pût vouloir la suivre, *elle*, jusqu'à Cannes ? Mais le rencontrer à deux reprises en des lieux aussi éloignés pouvait difficilement être une coïncidence.

— Ecoutez, je vous le répète, je n'ai pas envie de me confier à vous.

L'homme changea de ton.

— Allons, Libby, soyez sympa ! Carl Quinton est très en vue en ce moment, et un article sur ses retrouvailles avec sa fille qu'il n'a pas vue depuis des années, ce serait rudement intéressant. La presse serait prête à payer très cher pour ça. Croyez-moi, ça vaut le coup pour vous.

— Désolée, mais vous perdez votre temps.

Voyant arriver Clayton, elle se leva, peu désireuse d'être surprise en conversation avec un journaliste. Dieu seul savait comment le coach de son père interpréterait la chose !

— Bon. Si vous changez d'avis...

John Wright lui tendait de nouveau sa carte. Pour n'avoir pas à épiloguer, elle la prit et le salua d'un ton sec avant de reporter résolument son attention sur le nouvel arrivant.

Et, une fois les yeux sur celui-ci, il était difficile de s'intéresser à qui que ce soit d'autre, tant il était beau. Il portait un costume sombre à la coupe impeccable qui semblait amplifier encore sa carrure et la puissance de son physique.

Elle était éminemment consciente de la façon dont il l'observait tandis qu'elle se dirigeait vers lui. Jamais aucun homme ne l'avait regardée ainsi, avec cette intensité.

— Bonsoir... Vous êtes ravissante, dit-il en lui souriant.

— Merci.

A sa surprise, il se pencha pour l'embrasser sur les deux joues. Et Libby sentit déferler en elle une onde de chaleur qui la prit au dépourvu.

— Qui est ce type ? demanda Marc dans la foulée.

Il désignait de la tête le journaliste, maintenant appuyé nonchalamment au comptoir de la réception.

Libby hésita une seconde. Elle détestait mentir, mais son intuition lui souffla qu'elle n'avait pas le choix.

— Un Anglais qui loge ici, à l'hôtel. Nous étions en train de bavarder.

— Ah oui ? Et pour quel journal travaille-t-il ?

Elle se troubla.

— Je ne vois pas de quoi vous voulez parler, répliqua-t-elle. Bon, nous y allons ? Ou vous comptez me soumettre à un interrogatoire en règle ?

Voyant Marc hésiter, elle craignit, horrifiée, qu'il n'aille s'expliquer avec John Wright. Heureusement, il tourna les talons et elle lui emboîta le pas vers la sortie.

A l'extérieur, l'air était d'une singulière douceur, et Marc avait baissé la capote de sa voiture.

Elle regretta de n'avoir rien pris pour s'attacher les cheveux. De quoi aurait-elle l'air à leur arrivée au restaurant ?

Marc lui ouvrit la portière passager, il monta à bord et démarra.

— Alors, combien d'interviews avez-vous à votre programme pendant votre séjour ? s'enquit-il, l'air dégagé.

— D'interviews ? répéta-t-elle, déconcertée.

— Oui, d'interviews. Avec des journalistes.

En parlant, il lui prit la carte de visite qu'elle tenait toujours dans la main. Il la lut sous son œil dépité, puis la jeta par-dessus bord.

— Si vous comptez monnayer votre petite histoire, j'espère pour vous que vous avez dégotté mieux. Ce type ne vous en donnera pas cher.

— Ce n'est pas du tout dans mes intentions.

— Alors, pourquoi avoir voulu me cacher qu'il était journaliste ?

Libby se hérissa.

— Parce que… Ecoutez, si je vous avais dit que j'étais aussi surprise que vous de le voir là, vous ne m'auriez pas crue, j'imagine ?

— Probablement pas.

32

— Voilà ! J'avais raison ! Quoiqu'en y réfléchissant je ne vois vraiment pas pourquoi ça vous ennuierait tant que je parle à la presse, après tout.

— Etes-vous donc si naïve ?

— Ce n'est pas de la naïveté, mais je trouve tout cela bizarre. J'ignore tout de la vie de mon père, je ne l'ai pas vu depuis l'âge de sept ans. Je ne savais même pas où il était jusqu'à la semaine dernière… D'ailleurs, je ne le sais toujours pas. Et un journaliste me sollicite pour une interview.

— Il ne vous échappe pas, tout de même, que, si vous racontez à la presse que votre papa vous a abandonnée pendant votre enfance, ça risque de compromettre sérieusement sa carrière ? En plus, dans son dernier film, Carl joue le rôle d'un père de famille modèle. Cela ferait un bide complet.

— Je ne ferais jamais rien qui puisse causer du tort à mon père, protesta-t-elle.

— Bon. Ça fait plaisir à entendre.

Elle crut déceler une note sardonique dans sa voix et lui jeta un regard étincelant.

— Vous êtes décidé à penser du mal de moi, n'est-ce pas ?

Il se tourna vers elle, et leurs yeux se rencontrèrent.

— Non… Au contraire, Libby, je ne veux pas penser du mal de vous, pas du tout.

Il s'exprimait avec une douceur inattendue. Une douceur qui la déconcerta.

Vite, elle détourna la tête pour lui dissimuler son trouble et regarda le paysage.

Ils roulaient sur la Corniche d'or. La route en surplomb de la côte réservait au détour de chaque virage de saisissants panoramas sur la Méditerranée. Au crépuscule, la beauté sauvage du lieu se parait d'un charme encore plus envoûtant.

— Où allons-nous ? demanda-t-elle par curiosité à son chauffeur.

— Dans un petit restaurant que je connais dans la campagne. Nous n'en sommes plus très loin.

— Vous essayez de me soustraire aux paparazzi ?

— Disons que j'ai préféré un endroit calme pour discuter tranquillement.

Bientôt, quelques toits de tuile rose signalèrent la présence d'un hameau accroché à flanc de colline face à la mer. Et, quelques instants plus tard, Marc se garait sur le parking d'un tout petit restaurant.

Le lieu devait être prisé des amoureux, pensa Libby en entrant.

L'ambiance y était des plus romantiques. Chaque table se trouvait dans une petite alcôve, disposant ainsi de son intimité propre, et, hormis quelques fanaux suspendus çà et là, il n'y avait pour tout éclairage que des bougies.

On les installa à une table, et Marc commanda aussitôt du vin.

Elle remarqua que le menu ne comportait aucun prix. Manifestement, c'était là le genre d'établissement où il était acquis que l'addition incombait nécessairement à l'homme.

— Alors, qu'est-ce qui vous tente ? demanda Marc tout en remplissant son verre.

— Je ne sais pas trop…

— Vous avez bien un menu en anglais ?

— Oui, mais il n'y a aucun prix indiqué.

— Vous n'avez tout de même pas besoin de connaître les prix pour savoir ce que vous voulez manger ?

— Non, mais je tiens à préciser que je paierai mon repas. Je suis indépendante de nature, ça me convient mieux ainsi.

— Comme il vous plaira…

Une lueur pétillait dans les prunelles de Marc. Se moquait-il d'elle ? Elle l'observa un instant sans pouvoir trancher.

Il soutint son regard sans ciller puis lui sourit et leva son verre.

— Aux femmes indépendantes.

Sa voix avait une tonalité rauque, un peu sensuelle, qui l'électrisa comme une caresse.

Vite, elle se replongea dans le menu. Comme elle détestait cette faculté qu'avait Marc Clayton de... de la déstabiliser ainsi ! Ce que ça l'agaçait !

La serveuse vint prendre la commande, la distrayant de cette pensée importune. En fait, elle avait une faim de loup. Rien d'étonnant à cela : son précédent repas remontait au matin, avant son départ pour l'aéroport, et il s'était limité à un bol de céréales.

Marc s'entretenait en français avec la serveuse. Ils avaient l'air de se connaître et tous deux rirent de quelque chose qu'elle ne comprit pas.

— Vous parlez très bien le français, remarqua Libby quand ils se retrouvèrent seuls.

— J'ai été élevé en France. Ma mère était native de Nice.

— Ah, voilà qui explique que vous ayez le type méditerranéen. Votre père aussi est français ?

— Non, il est anglais. Mais, après le décès de ma mère, il a choisi de rester en France, il s'y plaît beaucoup. Et la France est devenue un peu mon port d'attache. J'ai ouvert une agence ici, sur la Côte d'Azur, et j'ai une maison sur les hauteurs de Nice.

— Et le reste du temps, où êtes-vous ?

Marc eut un léger sourire.

— Ma vie privée a l'air de beaucoup vous intéresser.

— Oh, je demandais ça pour bavarder... Du reste, je connais déjà la réponse. J'ai lu des articles à votre sujet.

— Tiens donc ?

— Oui. Comme ça, en passant, et il y a longtemps, s'empressa-t-elle de préciser.

— Et qu'avez-vous lu sur moi ?

— Seriez-vous curieux de votre propre image ? répliqua-t-elle, ironique.

— Non, plutôt curieux du travail de recherche que vous avez mené avant de venir ici.

35

— Je ne me suis *pas* documentée sur vous ! J'ai feuilleté des magazines, comme tout le monde.

Il lui en coûtait de ne pas trahir son impatience. Mais elle voulait rester fidèle à la ligne qu'elle s'était fixée : se montrer agréable, ne pas l'affronter.

Elle fit mine de réfléchir.

— Voyons, qu'est-ce que j'ai lu à votre sujet ?… Ah oui, que vous possédez une villa en Californie, à Malibu.

Une somptueuse propriété, d'après les photos qui illustraient l'article. Mais elle préféra taire ce détail. Dieu seul savait les conclusions qu'il tirerait du fait qu'elle se souvienne de ces images.

— Je sais également que vous avez trente-trois ans et que vous êtes divorcé d'une actrice, Marietta Zanetti. Et que vous avez un enfant… Une petite fille qui doit avoir environ deux ans.

— Trois, rectifia-t-il.

— Ah. Cet article est déjà assez ancien… Où se trouve votre petite fille, à présent ?

— Nous en avons la garde partagée, mon ex-femme et moi. Alice est tantôt chez sa mère à Beverly Hills, tantôt chez moi à Malibu.

— Vous avez réussi à vous entendre, apparemment ?

— Oui. En couple, ça n'a pas marché entre nous, mais, sur ce plan-là, nous avons trouvé un terrain d'entente. Nous adorons tous deux Alice. Elle est formidable ! C'est une enfant dégourdie, de bonne composition. Un vrai rayon de soleil quand elle est là.

Elle nota que son interlocuteur était plus détendu et sa voix plus douce quand il évoquait sa fille.

— Avez-vous une photo d'elle ?

Après une courte hésitation, il sortit son portefeuille d'une poche intérieure et lui présenta le portrait d'une jolie blondinette au sourire mutin.

— Elle est adorable, en effet… Manifestement, elle ressemble à sa mère.

La remarque le fit sourire.

36

— Oui, c'est vrai.

— Elle doit vous manquer quand vous êtes ici, en France, dit Libby après lui avoir rendu la photo.

— Oui, mais elle va bientôt venir avec sa mère. Elle passera quelques jours chez moi.

— Qui ? Marietta ou Alice ? s'entendit demander Libby, à sa propre surprise.

— Alice. Marietta sera très occupée. Elle vient à Cannes pour le Festival.

— J'aurais cru que c'était une période très chargée pour vous aussi.

— Oui, mais j'ai la chance d'être aidé par ma famille. Mon père et mes sœurs veulent tous avoir Alice quelque temps avec eux quand elle viendra.

— C'est une chance, en effet.

— Tous ont hâte de la revoir, dit-il en rangeant la photo. Et vous, Libby ? Etes-vous mariée ? Ou l'avez-vous été ?

— Non, jamais.

L'image de Simon lui vint à l'esprit.

A une époque, elle avait cru qu'il était l'homme de sa vie, qu'ils se marieraient et fonderaient une famille. Si elle avait su au départ qu'il ne voulait pas d'enfant, sans doute n'aurait-elle pas accepté de vivre avec lui. Pour elle, les enfants étaient essentiels à l'épanouissement. Mais Simon lui avait menti. Menti par omission, en s'arrangeant pour éviter le sujet. Et, le jour où elle avait découvert que la paternité ne l'intéressait pas, elle était déjà trop impliquée dans leur relation pour faire marche arrière. Et puis, elle ne désespérait pas de le faire changer d'avis : leur amour serait plus fort que tout, il finirait par vaincre les réticences de Simon… Elle le pensait sincèrement, parce qu'elle croyait qu'il l'aimait.

— Libby ?

La voix de son vis-à-vis la ramena à la réalité.

— Excusez-moi. J'étais ailleurs.

— A quoi pensiez-vous ?

— Oh, à rien de particulier…

Par chance, on apporta leurs entrées, et la conversation en resta là. Elle n'avait aucune envie de s'épancher sur les mille et un déboires de sa vie sentimentale.

— Et y a-t-il un amoureux qui vous attend en Angleterre ? demanda Marc tout en lui resservant du vin.

Son naturel la poussait à dire la vérité. Mais, par une réaction d'amour-propre, elle répugna à avouer qu'il n'y avait personne dans sa vie. Elle voulait donner à Marc Clayton l'illusion d'une femme heureuse et épanouie…

— Oui. Il s'appelle Simon. Ça fait trois ans que nous sommes ensemble. Et ça marche très bien entre nous !

En levant la tête, elle croisa le regard curieux de Marc et regretta ces dernières paroles. N'aurait-elle pas pu s'en dispenser ? Mais, avant qu'il poursuive sur le sujet, elle-même enchaîna.

— Au fait, quand est-ce que mon père arrive à Cannes ?

— Il termine la promotion du film aux Etats-Unis, il viendra en France juste après.

— Oh ! quel cran vous avez de m'en informer ! le taquina-t-elle. Vous ne craignez pas que je fasse mauvais usage de ce renseignement ? Que j'essaie de le monnayer ?

— Eh bien, j'ai décidé qu'il était temps que j'évolue dans mes rapports avec vous et que je commence à vivre dangereusement, répondit Marc sur le même ton badin. De toute façon, la chose devrait être annoncée demain soir de façon publique.

— Zut ! Aucun espoir alors que je fasse un peu d'argent en dévoilant ce secret ?

— Hélas, non.

Libby goûta ses ravioles d'anchois.

— Mmm… C'est délicieux.

— On n'est jamais déçu, ici.

Avec qui venait-il y dîner d'habitude ? Avec son physique de play-boy, Marc Clayton devait forcément avoir une femme dans sa vie. Peut-être même toute une ribambelle.

Elle s'imagina un instant être cette femme… Mais elle n'était certainement pas son genre. Il ne devait aimer que les créatures filiformes, tels les mannequins des magazines. Cette pensée l'irrita. En quoi cela importait-il qu'elle plaise ou non à Marc Clayton ? De toute manière, lui ne lui plaisait pas. Elle ne se trouvait en sa compagnie que parce qu'il était le maillon entre elle et son père et qu'elle avait besoin de lui. Il lui fallait donc ravaler sa fierté et garder le sourire !

— Donc, vous avez décidé de prendre des risques dans vos rapports avec moi, murmura-t-elle, un brin enjôleuse. Très prometteur… Irez-vous jusqu'à me confier où doit loger mon père quand il sera à Cannes ?

— Je ne vois pas pourquoi je vous le cacherais, répondit Marc sur le même ton, en la regardant dans les yeux.

Et elle songea rêveusement que, tout compte fait, il finirait peut-être par lui devenir sympathique.

— Bien. Je me réjouis que nous puissions en parler comme des personnes civilisées.

Il sourit.

— Tout ce que je vous demande, c'est de vous conformer à mes plans et de me prouver que vous avez à cœur les intérêts de votre père. Et je ferai tout ce qui est en mon pouvoir pour faciliter votre rencontre.

Face à l'arrogance d'un tel discours, Libby frémit intérieurement. Malgré elle, sa réplique fusa.

— Je n'ai rien à vous prouver !

— Si, Libby. Votre père m'a chargé de veiller sur ses intérêts, et c'est ce que je compte faire.

Libby avait peine à dominer sa mauvaise humeur. Quand la serveuse vint débarrasser leurs assiettes et apporter les plats de résistance, il régnait entre eux un silence pesant.

Bientôt, ils se retrouvèrent en tête à tête.

— Ne me regardez pas de cet air offensé, Libby, parce que ça ne m'émeut pas. Je vous le répète, j'ai un devoir de protection envers votre père et…

— Trêve d'hypocrisie, Marc Clayton, l'interrompit-elle. Je ne suis pas dupe. Vous me prenez pour une imbécile ? Je sais pertinemment que vous avez dû investir beaucoup d'argent dans la carrière de mon père et la promotion de son dernier film, et le seul devoir de protection qui vous préoccupe, c'est celui des profits que vous espérez en tirer.

Marc haussa les épaules, nullement affecté par ses paroles.

— C'est vrai, je suis un homme d'affaires, et j'ai dépensé beaucoup d'argent pour la réussite professionnelle de votre père. Mais il se trouve que Carl est également un ami. Aussi, je ne vous laisserai pas lui porter un quelconque préjudice.

— Je vous le répète, je n'ai aucune intention de lui nuire.

— Bien, dans ce cas, nous sommes d'accord et il n'y a pas de problème.

Son ton doucereux agaça Libby.

— Puisque nous voilà d'accord, allez-vous me mettre en relation avec mon père ? Je veux lui parler.

— Dès son arrivée, j'organiserai une rencontre entre vous.

— Vous aimez tout maîtriser, n'est-ce pas ?

— C'est ainsi, Libby, répondit-il avec calme.

— Dites-moi, comment va-t-il ? Je ne le sais même pas.

— Il va très bien. Il est très impatient de vous revoir.

Pourquoi alors n'avait-il pas pris la peine de l'appeler pour le lui dire ? s'interrogea Libby.

— En attendant, poursuivit Marc, nous devrions réfléchir à ce que vous allez dire exactement à la presse.

— Je ne vais rien dire.

— Eh, bien, c'est peut-être une erreur. J'estime qu'il vaut mieux prendre le problème à bras-le-corps au lieu de chercher à l'esquiver.

— Il n'y a pas de problème, hormis dans votre imagination trop fertile, marmonna-t-elle.

— Dites-moi, c'était bien un journaliste qu'il y avait à votre hôtel ? Ou bien ai-je rêvé ?

Elle le foudroya du regard, se renfrognant.

— Vous me faites penser à une gamine. Sans doute à cause de vos taches de rousseur sur le nez… Il ne vous manque que des couettes, et l'illusion serait parfaite.

— Très drôle !

Machinalement, elle porta une main à ses cheveux. N'était-elle pas trop mal coiffée ? Elle n'avait pas vérifié sa coiffure en arrivant comme elle l'avait prévu.

Marc sourit.

— C'est fou ce que vous ressemblez à votre père. Lui aussi, il veut toujours avoir raison. Vous avez le même tempérament volcanique, le même regard incendiaire… Si ce n'est, bien sûr, que vous êtes extrêmement féminine, murmura-t-il.

Le pouls de Libby s'accéléra. Non qu'elle fût particulièrement sensible au compliment. Clayton était un beau parleur, il devait tenir ce langage à toutes les femmes. Non, c'était davantage la façon dont il la fixait qui la troublait… Longtemps, il soutint son regard puis, lentement, insolemment presque, il se mit à contempler ses lèvres.

Le trouble de Libby se mua en une sorte de vertige sensuel qui la prit totalement au dépourvu et qu'elle essaya désespérément de conjurer. Pour cela, elle tenta de se rappeler le reste de sa remarque.

— Vous voulez dire que vous essayez d'imposer vos vues également à mon père ?

Cela le fit rire.

— Je voudrais bien, mais il est terriblement têtu… Comme vous.

La serveuse reparut, et Libby en profita pour s'accorder un petit répit en s'éclipsant quelques instants aux toilettes. Elle n'était pas trop mal coiffée, constata-t-elle avec soulagement face au miroir. Oh, elle ne faisait pas une obsession de son apparence. Marc Clayton n'était pas son genre. Elle n'aimait pas les hommes insolents et autoritaires. Elle remit du rouge à ses lèvres, et ce geste lui rappela la petite scène qui avait eu lieu un instant plus tôt, quand Marc contemplait sa bouche… A sa stupeur, elle s'aperçut qu'un léger tremblement agitait sa main. Refermant le tube, elle le rangea dans son sac.

« Tu es attirée par cet homme ! »

Ces paroles résonnèrent comme une semonce dans sa tête. Mais comment le nier ? Oui, elle trouvait Marc Clayton attirant, bien sûr que oui. Au-delà de sa beauté très virile, il dégageait une sensualité à fleur de peau qui la troublait comme jamais aucun homme ne l'avait troublée. Il suffisait qu'il la regarde pour qu'elle se sente fondre. Elle le détestait cordialement, et pourtant il avait le pouvoir de faire battre son cœur et d'enflammer ses sens. C'était tout à fait paradoxal… et sacrément ennuyeux.

Car l'attirance pour un homme ne pouvait se fonder uniquement sur son physique ou la faculté qu'il avait de faire naître le désir, c'était ridicule ! Elle ne pouvait tout simplement pas être attirée par Marc Clayton. Celui-ci avait la pire opinion d'elle, il l'avait mise plus bas que terre, et il ne lui causerait que des ennuis. Bien sûr, l'homme avait du charisme, mais elle avait tiré les leçons du passé, elle ne se laisserait plus aveugler par des apparences trompeuses. Désormais, c'était sa raison et non plus son cœur qui la guidait. Et sa raison avait pris toute la mesure du personnage !

Par ailleurs, il était clair à l'issue de ce petit dîner que jouer de ses charmes avec lui se révélait une arme à double tranchant. Car, lorsqu'elle essayait de flirter avec lui, qu'elle lui faisait les yeux doux, il répondait de la même manière à son égard. Et, manifestement, elle résistait mal à l'impact que cela produisait sur elle…

Dorénavant, elle allait devoir se montrer prudente. Très prudente.

42

4.

Après cette petite introspection, Libby se décida à rejoindre Marc dans la salle. Juste en sortant des toilettes, elle buta contre une jeune femme blonde de son âge.

— Oh, excusez-moi, lui dit cette dernière en français.

— Il n'y a pas de mal, répondit aimablement Libby.

— Vous êtes anglaise, n'est-ce pas ?

— Oui.

— Je vous ai remarquée dans la salle. C'est bien avec Marc Clayton que vous dînez ?

— Euh… oui, confirma-t-elle, déconcertée.

— C'est ce qu'il me semblait. Quel bel homme !

Embarrassée, Libby chercha quoi répondre, mais l'inconnue avait déjà disparu dans les toilettes, et elle-même s'en retourna à sa table, perplexe. Elle comptait relater l'incident à Marc, mais celui-ci ne lui en laissa pas le temps.

— Pour en revenir à notre conversation de tout à l'heure, Libby, je pense finalement que vous devriez faire une petite déclaration à la presse pour calmer les appétits. Dire en substance que vous aimez votre père et que les aléas de la vie vous ont séparés. Vous n'avez pas à entrer dans les détails…

— Ah oui ? Peut-être voudriez-vous m'écrire le texte pour y mettre un peu de piment, tant que vous y êtes ?

— Un peu de piment…

Il fit semblant de réfléchir, puis lui sourit.

— Et que proposez-vous ?

— Oh, je ne sais pas. Vous semblez avoir l'imagination fertile, je vous fais confiance pour trouver des idées. Par exemple, raconter qu'à la suite d'un naufrage j'ai passé vingt ans sur une île déserte ?

— Pour vous, bien sûr, ça vaudrait mieux que la vérité. Dire que vous avez ignoré votre père jusqu'à maintenant et que vous vous en rapprochez parce qu'il est devenu riche et célèbre, ça ferait mauvais effet.

Libby frémit de colère. Le monstre se montrait de nouveau sous son vrai jour !

— C'est ce que *vous* pensez, mais c'est faux !

— Ça me paraît plus crédible en tout cas que votre histoire d'île déserte, rétorqua nonchalamment Marc.

— De toute façon, je n'ai pas à me justifier, je n'ai rien à me reprocher !

— Si vous le dites…

Elle n'avait qu'une envie, se lever et le planter là ! Mais impossible de se brouiller avec Marc Clayton : le seul lien ténu qui la reliait à son père risquait d'être rompu. Elle devrait le supporter !

— Que comptez-vous dire à la presse, alors ? lui demanda-t-elle en essayant de s'exprimer calmement.

— Pas que votre compte en banque est dans le rouge, en tout cas.

Cette fois, elle ne put contenir sa fureur.

— Mon compte en banque va très bien !

— D'après mes investigations, pas vraiment.

Elle le fixa, atterrée.

— Vos *investigations* ?

— Oh, j'ai un dossier épais comme ça sur vous, dit-il, montrant une bonne dizaine de centimètres entre le pouce et l'index. J'ai confié l'enquête à un détective privé.

Elle resta quelques secondes muette sous le choc.

— C'est une plaisanterie, j'espère ?

— Pas du tout. Mettez-vous un peu à ma place ! Je devais m'assurer que vous étiez bien celle que vous prétendiez être. Et, par ailleurs, je voulais avoir le maximum d'éléments vous concernant pour savoir à qui j'avais affaire.

Libby n'en croyait toujours pas ses oreilles.

— Vraiment ? Donc, vous savez tout de ma jeunesse dissolue, répondit-elle, s'efforçant de tourner la chose en dérision, même si des frémissements de mépris secouaient sa voix.

— Hélas, cet aspect-là a échappé à mon détective... Mais vous m'éclairerez peut-être sur le sujet ? demanda Marc, se penchant vers elle et la fixant avec curiosité. Je vous promets que ça restera entre nous.

— Je ne doute pas de votre discrétion, mais je ne tiens pas à vous faire des confidences.

— Dommage... J'ai appris tout de même, dans un autre registre, que vous et votre petit ami êtes séparés. Ce qui m'amène à me demander pourquoi vous m'avez menti.

Cela tournait au cauchemar. Elle qui disait toujours la vérité, pour une fois qu'elle faisait une entorse à ce principe, elle était démasquée !

Elle essaya tant bien que mal de se tirer d'affaire.

— Je n'ai pas menti. Nous étions en froid, Simon et moi, mais nous envisageons de revenir ensemble. Et puis, après tout, ça ne vous regarde pas !

— En d'autres circonstances, je vous croirais. Mais il se trouve que j'ai voulu connaître la raison de votre séparation, et, quand j'ai découvert l'état de vos finances, je n'ai pu m'empêcher de me demander si votre petit ami ne vous a pas quittée parce que l'argent vous brûle les doigts.

— Je crois que c'est vous qui avez un problème avec l'argent ! Vous ramenez tout à ce sujet. Désolée, mais l'argent n'est pour rien dans ma séparation d'avec Simon.

— Mais vous n'avez plus un sou, n'est-ce pas ? Et c'est ce qui a décidée à vous mettre en quête de votre petit papa ?

Son sarcasme était si blessant, si insultant qu'elle aurait voulu le gifler.

— Ce que vous dites est tellement absurde et affligeant que je ne prendrai même pas la peine de répondre.

Elle ne laisserait pas ce mufle la contrarier davantage !

Elle ne fut pas peu fière de parvenir à garder son calme.

Marc la considéra en silence, les yeux rétrécis.

— Je regrette de m'être mêlé de votre vie privée, Libby, reprit-il enfin. Mais, dans l'intérêt de votre père, il fallait que je vous cerne mieux.

— Si ça ne vous ennuie pas, j'aimerais rentrer maintenant.

— Rentrer ?

— Oui, retourner à mon hôtel. J'ai eu une longue journée.

— Vous n'avez pas beaucoup mangé, Libby. Prenez donc un dessert.

Libby fut surprise de cette sollicitude. Mais ce n'était sans doute que pure comédie de la part de cet odieux personnage.

— Non merci, j'ai assez mangé et je me suis régalée. C'est juste la compagnie qui laissait un peu à désirer… Mais on ne peut pas tout avoir, n'est-ce pas ? ajouta-t-elle, sarcastique, en le regardant dans les yeux.

— Il paraît. Quoique je ne partage pas ce point de vue.

Cela ne l'étonnait guère. Tel qu'il lui apparaissait, Marc Clayton n'était pas homme à se contenter de ce qu'il avait. Tout en lui dénotait la volonté, l'opiniâtreté, rien ne devait lui résister.

Sur un signe de Marc, la serveuse apporta l'addition. Celui-ci posa sa carte bancaire dans la coupelle. Quand Libby demanda combien elle lui devait, il balaya la question d'un geste.

— Je tiens à payer, insista-t-elle, peu désireuse d'avoir une quelconque dette envers lui.

Elle prit l'addition… et eut peine à cacher son effarement. Comment

46

un repas pouvait-il atteindre un prix aussi astronomique ? Une chose était sûre : elle n'avait pas assez d'argent sur elle pour en payer la moitié ! Elle leva les yeux, refoulant un petit rire hystérique.

— Je vais devoir sortir ma carte bancaire.

Il lui reprit l'addition.

— Je vous ai invitée à dîner, Libby, c'est moi qui paie.

— Sûrement pas !

Elle ouvrit son sac et en sortit sa carte bancaire, qu'elle posa dans la coupelle avec la sienne.

— Il n'y a qu'à partager l'addition entre nous, dit-elle, l'air dégagé, comme si ce n'était qu'une broutille.

Marc soutint un instant son regard, puis il se leva.

— Je ne suis pas dupe, Libby. Réservez votre petit numéro de femme indépendante à votre père, lâcha-t-il en jetant sur la table la carte bancaire en question.

Avant qu'elle ait pu réagir, il était parti avec l'addition.

Quel être odieux, insupportable ! Elle le détestait.

Quand Marc reparut peu après, il avait l'air contrarié.

— Tout va bien ? s'enquit-elle dans un effort de civilité.

— Pas vraiment. Il y a des paparazzi qui attendent dehors. Nous allons sortir par la porte de service.

— Mon Dieu !

— Oui, « mon Dieu ! » ricana Marc. Donc, voilà. Je vais d'abord sortir seul pour ne pas éveiller les soupçons, au cas où on nous observerait par les fenêtres. Vous me rejoindrez dans quelques minutes.

— Mais comment ont-ils pu nous suivre jusqu'ici ? Je n'en reviens pas, murmura-t-elle, toujours sous le choc.

— Pourtant, ils sont bien là, croyez-moi ! J'y vais. Vous viendrez me retrouver dehors d'ici cinq minutes.

Libby patienta le temps voulu en évitant de regarder vers les fenêtres. Ensuite, elle se leva et prit la direction qu'avait empruntée Marc vers le fond du restaurant. Comment aurait-elle pu imaginer en venant en France qu'elle devrait fuir des paparazzi par une porte dérobée ?

La serveuse l'attendait près de la porte de service. En la voyant arriver, elle lui sourit et la fit sortir. Libby se retrouva dans un jardin au clair de lune qui embaumait la lavande. Au-delà, en contrebas, la Méditerranée déployait tel un immense miroir sa surface argentée, animée de mille reflets scintillants.

— Par ici.

Marc la guettait un peu plus loin, près d'un portillon.

— C'est grotesque, marmonna-t-elle. Vous êtes sûr qu'il y avait des paparazzi ? Je ne vois pas pourquoi ils auraient pris la peine de nous suivre.

— Ils ne nous ont pas suivis, ils ont *su* que nous étions là. Quelqu'un leur a vendu le tuyau.

Libby se raidit.

— Vous n'insinuez pas que c'est moi, j'espère ? Parce que je commence à en avoir assez de vos accusations !

— Vous n'avez pas quitté la table à un moment pour aller téléphoner ?

— Absolument pas ! Pourquoi aurais-je fait ça ?

— Parce que vous jouez un jeu dangereux.

Le ton de Marc avait changé, il était plus âpre, plus rude. Et, comme il s'approchait d'elle, un tressaillement la parcourut. Mais était-ce en réaction à sa colère ou à ce pouvoir troublant qu'il exerçait sur elle ?

— J'ignore de quoi vous parlez, Marc.

Elle recula d'un pas pour s'éloigner, mais il la rattrapa par le bras. A ce contact, ses sens s'éveillèrent malgré elle.

— Ça s'appelle jouer sur deux tableaux. D'un côté, vous essayez de tirer de l'argent de la presse et, de l'autre, vous espérez que votre père mette la main au porte-monnaie pour acheter votre silence. Il y a un autre terme pour cela : « chantage ».

Libby se dégagea d'un geste rageur.

48

— Comment osez-vous m'accuser d'une pareille chose ?

— Comment avez-vous osé appeler la presse ?

— Je n'ai appelé *personne* ! Je vous l'ai dit.

— Eh bien, je suis sceptique, voyez-vous. Parce que j'ai envoyé notre serveuse dehors pour aller aux nouvelles, et les journalistes lui ont confié qu'ils tenaient le tuyau d'une jeune femme qui les avait appelés une vingtaine de minutes plus tôt. Soit à peu près au moment où vous avez quitté la table.

— Eh bien, c'est une coïncidence !

— Le journaliste à votre hôtel, c'était aussi une coïncidence ?

Libby se troubla.

— Oui. Je… je n'ai pas d'explication à cela.

— Oh, je m'en doute.

Marc l'attira plus près encore. Elle eut soudain conscience de son bras l'enlaçant par la taille et sentit son cœur cogner sourdement dans sa poitrine.

Il la prit par le menton pour l'obliger à le regarder.

— Voyez-vous, Libby, quand on joue avec le feu, on risque de se brûler.

Si ses gestes étaient doux, sa voix râpait comme du papier de verre.

Libby fut incapable de formuler une réponse. Et pour cause : elle n'arrivait même plus à raisonner. Car il s'était mis à lui caresser la joue de son pouce, et ce geste l'emplissait d'une étrange chaleur qui engourdissait tout son être.

Elle réussit cependant à murmurer dans un souffle :

— Qu'attendez-vous de moi, Marc ?

— Que vous vous teniez à l'écart de la presse et que vous fassiez ce qui vous est demandé, voilà ce que j'attends de vous !

Ce ton autoritaire l'aida à recouvrer sa combativité.

— Je ne me suis jamais laissé dicter ma conduite.

— Oh, cette fois, je vous crois, fit-il, esquissant un sourire sardonique.

— Et je ne me laisserai pas intimider. Ni distraire du but qui est le mien, à savoir rencontrer mon père, ajouta-t-elle pour faire bonne mesure.

Marc écarta doucement de son visage une mèche où jouait la brise du soir, et elle frissonna. Comment ce petit rien pouvait-il la troubler à ce point ?

— Je ne cherche pas à vous intimider, Libby. Et j'estime que c'est vous qui usez de manœuvres de distraction. Cette robe déshabillée que vous portez ce soir, ces sourires enjôleurs, ces battements de cils… tout cela n'est pas innocent.

— C'est absurde !

Elle maudit le tremblement de sa voix qui trahissait son émoi. Mais comment garder son sang-froid, face à de tels reproches ? Et à l'intensité du regard avec lequel l'observait le coach de son père ?

— Absurde, vous trouvez ? murmura-t-il sans la quitter des yeux. Peut-être avez-vous simplement besoin d'apprendre ce qu'il en coûte de jouer avec le feu ?

Elle n'eut pas le loisir de répondre, car Marc écrasa sa bouche sur la sienne.

C'était un baiser dépourvu de toute douceur, un baiser qui se voulait punitif…

Elle aurait dû repousser l'assaut, mais, par un curieux sortilège, une irrésistible passion la submergea au tout premier contact des lèvres de Marc, si intense qu'elle en resta sans force, en proie à un désir dévorant. Ses bras vinrent se nouer autour de son cou, et elle se retrouva malgré elle à lui rendre baiser pour baiser.

Le bruit des vagues se brisant sur la plage plus bas semblait s'être amplifié. A moins que la rumeur grondant à ses oreilles ne fût l'écho du désir qui battait dans ses veines ? Peu importait. Seules comptaient les sensations magiques que lui procuraient les baisers de Marc. Ce plaisir délicieux qui la liquéfiait. Elle aimait la sensation de ses mains parcourant son dos, ses reins… Elle se pressa contre lui. Elle voulait être plus près encore.

Soudain, des éclairs de flashes déchirèrent la nuit.

Libby se détacha de Marc en titubant, étourdie comme au sortir d'un rêve. Celui-ci la rattrapa par un bras. Autour d'eux, des hommes, appareil photo au poing, les mitraillaient de flashes et de questions.

— Je n'ai aucun commentaire à faire, déclara Marc.

Essayant de la protéger d'eux, il l'entraîna vers le parking.

Comme il semblait maître de lui-même ! songea-t-elle confusément. Alors qu'elle était si émue, si bouleversée…

En quelques instants, ils furent dans la voiture et Marc mit le contact.

— Qui est cette jeune personne, Marc ? lui cria un des journalistes. Allez, dites-nous votre secret ! Est-ce la fille de Carl Quinton ?

— Ce n'est pas quelqu'un d'important pour vous ! leur cria-t-il en retour.

Après quoi, il obliqua d'un coup de volant vers la sortie et ils s'éloignèrent dans la nuit.

51

5.

« Pas quelqu'un d'important » ! Ces mots de Marc résonnaient douloureusement dans l'esprit de Libby tandis que la voiture filait bon train dans la nuit.

— Ces journalistes, quelle outrecuidance ! dit-elle, recouvrant enfin l'usage de la parole.

Sa voix tremblait lamentablement. Elle espéra que Marc l'imputerait à l'irruption des photographes, et non à l'émotion que lui avait causée leurs baisers. Comment avait-elle pu l'embrasser si passionnément ?

— Je ne pense pas qu'ils aient pu faire de bonnes photos, répondit nonchalamment Marc.

— De toute façon, le fait de leur dire que je suis une rien-du-tout les aura refroidis, répliqua-t-elle, sarcastique.

La colère grondait en elle, et elle n'aurait su dire à qui elle en voulait le plus : à elle-même, pour avoir répondu ainsi aux baisers de Marc, ou à ce dernier, pour avoir proféré quelque chose d'aussi blessant. De surcroît, juste après un tel moment de passion !

Mais pour lui ces baisers n'avaient été qu'un divertissement, une occasion de jouer avec elle. Cette pensée exacerba son ressentiment, et en même temps elle prit conscience qu'une douleur sourde, disproportionnée lui étreignait le cœur.

— Je n'ai pas formulé la chose ainsi, releva Marc. J'ai dit que vous n'aviez pas d'importance *pour eux*.

— Ce qui revient à peu près au même, non ?

— Je cherchais à vous protéger, Libby... Mais peut-être ne vous ai-je pas rendu service ? ajouta-t-il d'un ton aigre en la regardant. Peut-être vouliez-vous au contraire vous retrouver sous le feu des projecteurs ?

— Oh non !

— De toute façon, je vous préviens, votre petite histoire n'intéressera que modérément les médias, elle ne vous rapportera pas une fortune. Et votre gloire sera éphémère.

— Tout cela vous inquiète malgré tout, non ? répliqua-t-elle par raillerie.

— Je suis préoccupé, pas inquiet, rétorqua sèchement Marc. Cette période est importante pour votre père... Mais je ne vous apprends rien. Vous savez pertinemment ce que vous faites, n'est-ce pas ?

— Tout ce que je veux, c'est le voir, martela Libby. Ce n'est quand même pas si déraisonnable !

— Non. Et, dans la mesure où vous vous conformerez à mes instructions, j'organiserai une rencontre entre vous.

— Vos instructions ? Mais pour qui vous prenez-vous, à la fin, à prétendre me dicter ainsi votre loi, à m'agresser ?

— Moi, je vous agresse ? répondit-il, une pointe d'amusement dans la voix.

— Vous n'aviez pas le droit de m'embrasser comme vous l'avez fait, marmonna-t-elle entre ses dents.

— C'était juste un baiser, Libby, dit-il avec douceur.

Puis il se tourna vers elle :

— Vous auriez pu le refuser... mais vous ne l'avez pas fait. Je dirais même que ça vous a plu.

— Ah oui ? ricana-t-elle, effarée par tant d'arrogance. Eh bien, d'accord. Sachez, confia-t-elle avec un sourire suave, que je m'apprêtais à refuser, mais j'ai aperçu les journalistes et je me suis dit : « Autant leur fournir une bonne photo. »

— Je vois. Votre petit numéro était très convaincant, je vous l'accorde.

Elle se réjouissait de lui avoir cloué le bec quand il ajouta :

— Donc, vous admettez implicitement que c'est vous qui avez donné le tuyau à ces photographes ?

— Certainement pas. Je ne les ai pas appelés, je vous l'ai dit.

— Vous avez donc joué votre petite comédie par pure philanthropie ? Juste pour leur offrir un sujet croustillant ?

— Ecoutez, si nous allons au fond des choses, je vous ferai remarquer que c'est vous qui m'avez embrassée en premier. Et je serais en droit de me demander si ce n'est pas vous qui avez payé la presse pour venir !

— Et pourquoi l'aurais-je fait ?

— Je ne sais pas…

Elle chercha désespérément une explication plausible.

— Peut-être avez-vous intérêt à les détourner de l'affaire qui les intéresse et, en échange, vous leur avez offert en pâture cette gentille petite scène enflammée.

— Très drôle ! Et c'est moi qui ai prétendument l'imagination fertile. Allons, Libby, je ne joue pas à ce genre de jeu. Mon métier exige du sérieux… Quoi qu'il en soit, ajouta-t-il après une courte pause, je pense que, vu les circonstances, il vaudrait mieux que vous ne restiez pas à l'hôtel Rosette.

Libby se tourna vivement vers lui.

— Il n'en est pas question ! Je ne vois pas pourquoi je quitterais mon hôtel.

— Je vais vous le dire, moi. Vous êtes déjà harcelée par la presse, et ça ne fera qu'empirer.

— Tant pis ! Je suis prête à courir le risque.

— Vous peut-être, mais pas moi. Je veux que vous soyez quelque part où je puisse vous tenir à l'œil.

Elle laissa échapper un petit rire incrédule.

— Qui est-ce qui a recours au chantage, maintenant ?

— C'est dans votre intérêt, Libby, et celui de votre père.

— Mais oui !

— J'ai une maison pas loin de la mienne que je réserve à certains clients qui ont besoin d'intimité quand ils viennent ici pour affaires. En matière de sécurité, elle est au top. Il y a des clôtures et des fermetures électriques, et le personnel qui s'en occupe est totalement digne de confiance.

— Vous voulez m'enfermer derrière des clôtures électriques ? Vous plaisantez ! Je n'ai pas envie de me retrouver dans une prison. N'y comptez pas !

— Si, Libby, j'y compte. Et je suis très sérieux.

— Moi aussi, je le suis. Et je n'irai pas dans votre forteresse, fût-elle le dernier toit disponible sur la Côte d'Azur.

Sa véhémence parut amuser son compagnon.

— L'endroit est très agréable et n'a rien d'une prison, je vous l'assure. C'est une villa en bord de mer, avec tout le confort évidemment, ainsi qu'une piscine chauffée. Vous serez libre de vos mouvements et aurez à votre disposition cuisinier, femme de ménage et chauffeur.

Cette description lui mit l'eau à la bouche.

— Et… j'aurai tout ça rien que pour moi ?

— Rien que pour vous.

— Il n'y aura personne d'autre dans la maison en dehors de moi et du personnel ? insista Libby pour lever toute ambiguïté.

— Personne.

Marc souriait, content de lui. Evidemment, c'était l'appât idéal pour l'éloigner de Cannes et de la fureur des médias…

— Bien sûr, je passerai de temps en temps, ajouta-t-il négligemment. J'habite juste à côté, les deux villas communiquent par une plage privée.

A ces mots, un signal d'alarme retentit en Libby. Vu l'émoi où l'avaient plongée les baisers de Marc, était-il bien sage de vivre à quelques pas de lui ?

— Je préférerais rester à mon hôtel, Marc.

— Pourquoi ?

La question la mit mal à l'aise.

— Parce que… parce que je m'y plais bien, voilà.

— Parce que vous avez déjà dit à la presse que vous logiez là-bas ?

— Pas du tout. Simplement, j'estime préférable que nous gardions nos distances, vous et moi.

— Nous n'habiterons pas ensemble, protesta Marc. Quelle distance vous faudrait-il ?

A ces mots, comme ils entraient dans Cannes, il changea de vitesse et lui effleura le genou par inadvertance.

Libby refoula un tressaillement. Cette réaction lui prouvait s'il en était besoin le danger de toute proximité avec Marc Clayton. Cela l'irritait qu'un tel individu eût sur elle ce pouvoir. Même s'ils habitaient des planètes différentes, ils seraient encore trop proches…

— Je ne vois pas pourquoi vous voudriez rester dans cet hôtel Rosette alors que je mets à votre disposition une villa et un chauffeur…

Décidément, il s'obstinait.

— Je dois aussi songer à ma réputation, Marc. Demain, les journaux publieront peut-être des photos de nous. Alors, si je viens m'installer tout près de chez vous, ça fera jaser, forcément.

— Je n'en suis pas si sûr. La presse est davantage intéressée par vos rapports avec votre père. Personne n'ira imaginer qu'il y a quelque chose entre vous et moi.

Piquée au vif, elle rétorqua impulsivement :

— Il n'est pas certain que mon petit ami voie les choses ainsi. S'il tombe sur une photo de nous en train de nous embrasser et apprend que j'ai quitté mon hôtel, il me sera difficile de le persuader qu'il n'y a rien entre nous.

— Vous auriez peut-être dû y penser avant de m'embrasser.

— Certes, mais je n'ai pas envie d'aggraver la situation. Je ne voudrais pas que les relations se dégradent entre Simon et moi. J'ai bien assez de problèmes.

Marc salua ces paroles d'un haussement d'épaules.

— Si vous vous installiez chez moi, d'accord. Mais à côté… Il y a peu de chance que ça intéresse la presse. Et, même si ce devait être le cas, si votre ex-petit ami vous aime vraiment, ça devrait le faire revenir vers vous, non ? ajouta-t-il, lui jetant un regard de biais. Il me semble que, si je soupçonnais la femme que j'aime d'avoir un autre homme dans sa vie, je réagirais ! Et vite. Ne serait-ce qu'en lui téléphonant pour essayer de comprendre.

— Oui, eh bien je n'y compte pas trop, soupira un peu vite Libby.

Ce qu'elle se reprocha aussitôt. Un tel aveu n'était pas très flatteur pour son image.

— Dans ce cas, cet homme ne vous mérite pas, et vous feriez mieux de l'oublier.

Ce fut dit avec douceur. Une douceur inattendue, qui lui tressaillir le cœur malgré elle… jusqu'au moment où elle réalisa que cette soudaine sympathie ne pouvait qu'être feinte.

— Il ne me mérite pas ? Bien que, d'après vous, je sois une femme sans scrupules et bassement intéressée ?

Marc la regarda et sourit.

— Oui… Mais vous êtes aussi très séduisante, murmura-t-il de sa voix de basse, prenant un ton enjôleur.

Libby refusa de se laisser troubler par ces inflexions caressantes.

— Venant d'un homme qui a toutes les apparences d'un coureur de jupons, il n'y a aucun risque que vos compliments me montent à la tête.

Son compagnon eut un rire bref.

Même son rire avait un charme irrésistible ! Que la vie était injuste ! En tout cas, elle ne se sentait plus en état de batailler. Elle était épuisée, tant physiquement qu'émotionnellement, et avait hâte désormais de retrouver la tranquillité de sa chambre d'hôtel.

— Alors, à quelle heure je viens vous chercher demain ? s'enquit soudain Marc, l'air dégagé. 10 heures, ça vous va ?

— Me chercher, pour quoi faire ?

— Je vous l'ai dit. Pour vous emmener chez moi.

— Et je vous ai répondu que non ! Ça n'apportera rien. Au contraire, ça ne fera que compliquer les choses.

— Les complications, je m'en charge. Vous faites votre valise et vous vous tenez prête pour demain matin, 10 heures, déclara Marc d'un ton sans réplique. Et, d'ici là, pas un mot à la presse.

En parlant, il s'était garé devant l'hôtel Rosette.

— Ecoutez, j'aimerais bien que vous cessiez de me dire ce que j'ai à faire. Je commence vraiment à en avoir...

La suite mourut au bord de ses lèvres quand elle le vit se pencher vers elle.

— Marc...

L'effronté comptait la faire taire en s'emparant de sa bouche. Il fallait résister, le repousser ! Mais très vite se répandit dans ses veines un plaisir exquis, contre lequel elle se sentait incapable de lutter... Sachant la bataille perdue, elle se résignait à capituler et commençait à répondre à son baiser quand soudain Marc s'écarta.

— Pourquoi avez-vous fait ça ? protesta-t-elle.

— Pour vérifier ce que vous m'avez dit tout à l'heure. Savoir si, quand je vous ai embrassée la première fois, vous jouiez vraiment la comédie pour les photographes.

— Je vous ai blessé dans votre orgueil ? répliqua-t-elle, se réfugiant dans la dérision pour mieux masquer son émoi.

Il sourit.

— Non, détrompez-vous... Parce que les photographes n'étaient pour rien dans la façon dont vous m'avez embrassé la première fois. La vraie raison, elle est plutôt dans l'alchimie que je ressens entre nous.

A ces mots, le cœur de Libby se mit à battre la chamade.

— Quel prétentieux vous faites, Marc Clayton ! Je regrette de vous décevoir, mais votre baiser m'a laissée de marbre.

Cela parut beaucoup amuser son compagnon.

— Si c'est là votre réaction quand vous restez de marbre, j'ai hâte de voir comment c'est quand vous vous enflammez.

Furieuse, elle ouvrit la portière.

— Je vous demande de... de cesser de m'importuner, un point c'est tout.

A son grand dépit, sa voix était parcourue de tremblements.

— A demain, Libby, lança Marc pour toute réponse. Faites de beaux rêves.

— Après ce genre de soirée, je crains que ce ne soit plutôt des cauchemars ! rétorqua-t-elle en le regardant dans les yeux avant de claquer la portière.

Marc regarda s'éloigner Libby, impressionné par le fougueux tempérament de la jeune femme et par la façon dont son corps se mouvait au rythme de son pas décidé. Il y avait une dignité en elle qui forçait l'admiration. Et, quand elle le fixait fièrement de ses grands yeux bleus, il en venait presque à se sentir coupable.

Coupable ? Allons, c'était elle qui le menait en bateau ! Cela ne faisait pas moins de trois fois qu'il la surprenait en flagrant délit de mensonge, ce soir.

Sans doute aurait-il dû s'abstenir de l'embrasser, mais la tentation avait été trop forte, et il existait bien une alchimie entre eux... A vrai dire, il y avait longtemps qu'il ne s'était senti autant attiré par une femme.

Certes, Libby Sheridan était totalement infréquentable par ailleurs. Mais ne pourrait-elle pas faire un délicieux divertissement pendant quelque temps ?

La lumière s'éteignit dans le couloir du quatrième étage, et Libby dut trouver la suite de son chemin en tâtonnant.

Un peu comme en ce moment dans sa vie, se dit-elle avec ironie.

Elle se sentait complètement perdue et désemparée dans ses rapports avec le coach de son père. Cet homme exerçait sur elle autant d'attirance qu'il lui inspirait d'aversion. Et elle savait que, quand il l'embrassait, c'était uniquement par jeu. Dès lors, elle aurait dû pouvoir refuser ses baisers. Mais non… Au contraire, elle en aurait voulu encore et encore. Pourquoi lui étaient-ils si doux ? Jamais aucun homme ne l'avait embrassée ainsi. Jamais aucun homme ne l'avait autant troublée physiquement. C'en était presque effrayant…

En tout cas, elle lui tiendrait tête au moins dans un domaine : pas question pour elle de quitter cet hôtel !

Une fois dans sa chambre, résistant à la tentation de s'écrouler tout de suite sur le lit, Libby fila sous la douche. Elle essayait de ne plus penser à Marc, mais le souvenir brûlant de ses baisers refusait de la laisser en paix.

Cet homme était manifestement un séducteur. Si elle venait à succomber à son charme, nul doute qu'elle n'en ressortirait pas intacte.

6.

Sitôt couchée, Libby s'endormit, mais son sommeil fut agité de rêves où se mêlaient des scénarios confus, tous générateurs d'angoisse.

Ce fut son père qui d'abord lui apparut, tel qu'elle l'avait vu pour la dernière fois quand il les avait quittées. Petite fille éplorée, elle courait derrière lui, le suppliant de rester, quand Marc Clayton entra brusquement en scène.

— Votre père ne reviendra pas, Libby, je le crains. Il ne veut plus vous revoir, annonça-t-il sans ménagement.

L'instant d'après, ils étaient transposés dans le présent, et elle se trouvait ici, dans cet hôtel, avec lui.

— Mais, si vous êtes obéissante, il se peut que j'organise une rencontre entre vous, lui disait-il, l'œil brillant comme de l'acier. Vous devez vous plier à mes exigences, c'est à prendre ou à laisser.

Et, là-dessus, il l'empoignait. Elle tentait de lui échapper mais il était trop fort et déjà l'embrassait. La scène d'après, ils étaient dans une chambre inconnue avec un grand lit à colonnes, et Marc commençait à la déshabiller.

— Je savais que vous finiriez par vous soumettre, lui murmurait-il tandis qu'elle se sentait succomber inexorablement.

Ses caresses étaient une merveille de douceur, ses baisers, des trésors de sensualité…

Puis, subitement, Marc s'écartait et quittait la chambre en claquant violemment la porte.

Tout espoir de revoir son père s'envolait. Et Marc était parti sans un regard en arrière, comme Simon.

Réveillée en sursaut, Libby se redressa dans le lit, le cœur battant un galop endiablé. Le claquement de la porte avait bien existé, mais il venait du couloir. Sans doute un client qui quittait l'hôtel.

Elle se laissa lourdement retomber sur l'oreiller, toute secouée par ces rêves dérangeants.

Sa montre indiquait près de 7 heures. A quoi bon s'attarder au lit ? De toute façon, elle ne se rendormirait pas. Elle regrettait de n'avoir pas choisi l'option du petit déjeuner en réservant sa chambre, un bon café et un croissant l'auraient tentée. Tant pis, elle irait prendre son petit déjeuner à l'extérieur.

Elle se leva, tira le rideau et cligna des yeux, éblouie par l'intensité de la lumière malgré l'heure matinale. Le ciel était d'un bleu pur, magnifique. Une belle journée en perspective ! se dit-elle, le cœur plus léger.

Peu de temps après, elle déambulait dans les rues de Cannes, savourant la douceur et la tranquillité de ce matin de printemps. En passant devant un marchand de journaux, elle se rappela l'épisode de la veille avec les photographes et, non sans une certaine appréhension, entra dans le magasin. Ne trouvant aucune publication en anglais, elle acheta un quotidien local en français. Elle pourrait regarder les photos et peut-être parvenir à déchiffrer quelques lignes.

Non loin de là, la terrasse ensoleillée d'un café lui tendait les bras. Elle s'y installa pour prendre son petit déjeuner.

A son soulagement, le journal ne publiait aucune photo comprometante d'elle et Marc... En revanche, il y en avait une de son père. Libby lut l'article, espérant saisir quelques lambeaux de phrases, en vain. Un mot cependant la frappa : « hôpital ».

L'angoisse la saisit. Son père était-il malade ?

Quand le serveur parut un instant plus tard, elle lui demanda s'il parlait anglais.

— Un peu, répondit-il.

— Pourriez-vous me dire de quoi parle cet article ?

Elle lui montra le journal, et il lut les quelques lignes.

— Il y est question de Carl Quinton, le comédien. Il a eu un accident.

— Il est blessé ? C'est grave ?

— Il est dit simplement qu'on l'a conduit à l'hôpital, à Los Angeles.

Libby le remercia. S'efforçant de garder son calme, elle régla l'addition puis reprit rapidement la direction de l'hôtel. L'anxiété montait en elle, attisée par l'horreur des divers scénarios que lui suggérait son imagination.

Son père allait peut-être mourir... Cela l'emplissait d'effroi. C'eût été si cruel. Alors qu'elle s'apprêtait à le revoir après tant et tant d'années de séparation ! Peut-être allait-elle de nouveau le perdre, et cette fois pour toujours...

Elle ne s'était jamais sentie aussi désemparée, aussi seule. Elle avançait comme un automate, rongée par l'angoisse. Des souvenirs de son enfance remontaient à sa mémoire, faisant s'emplir ses yeux de larmes sans qu'elle en eût conscience.

Comme elle arrivait enfin en vue de l'hôtel, elle aperçut une voiture familière garée devant la façade. Marc ! Il allait pouvoir l'éclairer sur l'état de son père !

— Marc ? l'appela-t-elle depuis le trottoir opposé en le voyant sortir de l'hôtel.

— Ah, vous voilà ! Je me demandais où vous étiez passée.

— Avez-vous des nouvelles de mon père ?

— Attention ! cria-t-il comme elle s'apprêtait à traverser la rue.

Mais trop tard. Elle était déjà descendue du trottoir, oubliant qu'elle n'était pas en Angleterre et que le danger venait de la gauche. La seconde d'après, il y eut un formidable coup de frein : une voiture venait de piler pour l'éviter. Par réflexe, elle bondit de côté, mais elle perdit l'équilibre et tomba, heurtant assez violemment la bordure du trottoir.

En un éclair, Marc l'avait rejointe.

— Vous êtes blessée ? demanda-t-il, visiblement très inquiet.

— Non, je ne crois pas… Ça va.

Il l'aida à se relever. La voiture s'était arrêtée à quelques dizaines de centimètres d'elle. Bien que sonnée, elle se rendit compte qu'un vif échange s'engageait entre lui et le conducteur de la voiture.

— Marc, c'est ma faute, murmura-t-elle, penaude, quand il l'aida ensuite à traverser la rue.

— Ce type roulait trop vite ! Mais quelle imprudence aussi de votre côté !

— Je sais… C'est vraiment idiot de ma part.

— Quelle frayeur j'ai eue !

Une fois en sécurité sur le trottoir de l'hôtel, Marc la prit par le menton pour mieux étudier son visage.

— Vous vous êtes blessée au front.

— Ah bon ? Oh, ce n'est rien…

Elle ne s'était pas attendue à tant de gentillesse de sa part et en était toute retournée. Voilà qu'elle avait la gorge serrée maintenant, qu'elle pleurait presque. Etait-ce la sollicitude de Marc, le contrecoup du choc ?

— Je vais vous conduire chez un médecin.

— Non, ce n'est pas la peine, dit-elle en s'écartant.

Puis, le fixant anxieusement, elle lui demanda :

— Marc, avez-vous des nouvelles de mon père ? J'ai vu un article dans le journal. Il a eu un accident ?

— Oui. Mais il va bien.

— C'est vrai ? C'est bien vrai ? fit-elle, la voix chevrotante.

— Oui. Je l'ai eu au téléphone pas plus tard que ce matin.

Un indicible soulagement l'envahit.

— Dieu merci ! Je craignais le pire, je… j'avais peur de ne jamais le revoir.

— Est-ce pour cette raison que vous avez traversé si imprudem-

64

ment quand vous m'avez aperçu ? demanda-t-il avec douceur. Venez, rentrons dans l'hôtel, il faut soigner ce bobo.

Elle ne protesta pas. Son pouls battait comme un marteau contre ses tempes, et elle se sentait un peu faible, nauséeuse.

— Je vais m'allonger un peu, ça devrait aller mieux ensuite.

— Je ne crois pas que ce soit une bonne idée. Vous vous êtes cognée assez fort à la tête. Il se peut que vous ayez une commotion cérébrale.

Tout en parlant, Marc l'avait entraînée dans l'hôtel et monta à sa suite dans l'ascenseur. Distraite par ses paroles, elle n'eut pas vraiment conscience qu'il l'accompagnait à sa chambre. Une commotion cérébrale ? Force lui était de l'admettre, elle avait très mal à la tête.

— Je préférerais que vous voyiez un médecin, Libby, juste par précaution.

— Non, vraiment, c'est inutile !

La porte de l'ascenseur s'ouvrit. Marc la prit par le bras et l'entraîna dans le couloir.

— Nous verrons. A mon avis, le plus sage serait de quitter l'hôtel et que je vous conduise aux urgences.

A cet instant, la lumière s'éteignit comme il était prévisible, les plongeant dans une obscurité totale. Comme Libby titubait, Marc entoura ses épaules pour la stabiliser.

Ce fut comme un déclic : elle prit soudain conscience qu'il l'avait accompagnée et qu'il s'apprêtait à lui faire quitter l'hôtel en prétextant la nécessité d'un examen médical, et ce dans le but de l'installer chez lui !

— Non, je n'irai pas à l'hôpital ! C'est ridicule, pour un simple petit coup à la tête.

— Attendons d'avoir nettoyé cette blessure pour voir si c'est grave ou non. Où est votre chambre ?

— Juste là.

En se retournant, elle buta légèrement contre Marc et se retrouva sans le vouloir dans ses bras. Cette intimité inopinée dans le noir fit aussitôt s'emballer son cœur. Elle sentait la chaleur de Marc, ses mains autour de sa taille, le parfum de son eau de toilette, et toutes ces sensations agissaient sur elle comme un sortilège.

— Euh… Excusez-moi, bafouilla-t-elle.

— Il n'y a pas de mal.

La caresse de sa voix veloutée si proche ne fit qu'ajouter à son émoi. Se ressaisissant tant bien que mal, elle chercha sa clé magnétique dans son sac.

— Ce n'était pas la peine que vous montiez jusqu'ici, bougonna-t-elle. Je vais bien, maintenant.

Mais pas assez, manifestement, pour parvenir à introduire la carte dans la fente…

— Laissez-moi faire, dit Marc, s'interposant.

Inévitablement, sa main toucha la sienne, et ce fut avec soulagement qu'elle vit la porte s'ouvrir, révélant la chambre inondée de soleil.

— Merci, Marc. Vous pouvez partir, maintenant.

Cela le fit sourire.

— Je ne partirai pas d'ici sans vous, Libby. Mais allons d'abord soigner votre blessure.

Déjà, il l'entraînait vers la salle de bains.

A la vue de son reflet dans le miroir au-dessus du lavabo, Libby resta coite. Une vilaine entaille compliquée d'une bosse lui barrait le front près de la tempe. Rien d'étonnant à ce qu'elle eût si mal à la tête !

Après avoir ouvert le robinet d'eau chaude, Marc la fit pivoter vers lui. Doucement, il repoussa en arrière ses cheveux afin d'examiner la plaie à la lumière crue des spots. Son regard était si vif, si aigu qu'elle le sentait presque de façon tangible sur elle. Cela la mettait mal à l'aise, mais le pire, c'est qu'elle songeait à des choses totalement incongrues. Par exemple, qu'elle aurait dû mettre du rouge à lèvres, soigner davantage sa coiffure… Tout compte fait, ce choc à la tête devait sérieusement la perturber !

A l'aide d'un disque de coton imprégné d'eau chaude, Marc

66

tamponna délicatement la zone autour de la blessure. Une sensation de picotement la fit tressaillir.

— Restez tranquille, murmura-t-il en posant une main sur son bras. Ce n'est pas profond, mais vous avez une belle bosse.

— Ça ira, maintenant, dit-elle, tentant de se dérober.

Mais Marc la maintint immobile.

— Cessez donc ces gamineries, grogna-t-il.

Résignée, elle le laissa terminer tranquillement son ouvrage. Dès qu'il la relâcha, cependant, elle s'écarta.

— Merci, Marc.

Leurs yeux se rencontrèrent, et il se produisit quelque chose d'étrange, comme si un courant sensuel s'établissait entre eux par la seule force de leurs regards mêlés.

— Il n'y a pas de quoi, dit-il, lui souriant avec douceur.

Après quoi, il se lava les mains au lavabo.

— Auriez-vous du désinfectant dans vos affaires ?

— Oui, docteur, répondit-elle par plaisanterie.

Il eut un sourire amusé.

— Eh bien, je vous conseille d'en mettre un peu.

— D'accord… Et maintenant, Marc, donnez-moi des nouvelles de mon père. Que lui est-il arrivé ?

— Nous en parlerons plus tard. Pour l'heure, j'aimerais que vous prépariez votre sac.

— Vous êtes têtu. Je ne veux pas quitter cet hôtel, je…

A quoi bon poursuivre ? Monsieur n'écoutait plus, il était sorti de la salle de bains. Ce qu'il pouvait être exaspérant !

Libby appliqua une pommade antiseptique sur la plaie. Maintenant que Marc l'avait nettoyée, le mal paraissait moins grave.

— Il ne faudrait plus tarder, Libby ! lança ce dernier depuis la pièce voisine.

Elle rangea le tube et gagna à son tour la chambre. Là, quelle ne fut pas sa surprise de voir son sac de voyage sur le lit, grand ouvert, et Marc en train d'enlever ses vêtements de la penderie pour les ranger à l'intérieur.

— Ne vous gênez pas ! Je vous ai dit que je ne partirai pas d'ici.

— Désolée, Libby, mais vous n'avez pas le choix. Je crois avoir été clair sur ce point hier soir.

— Oui, vous avez été clair, mais je…

— Dans ce cas, vous le savez, si vous voulez que je vous aide à rencontrer votre père, vous allez devoir suivre mes conseils et m'accompagner.

Elle se mordit la lèvre pour contenir sa colère. L'idée même de se soumettre à l'autorité de Marc la faisait bouillir, mais que faire ? Elle n'avait pas le choix, voir son père passait par ce compromis.

La penderie vidée, Marc se dirigea vers la commode, mais elle s'interposa avant qu'il ne mette la main sur sa lingerie.

— Merci ! Je m'en charge.

— Alors pressez-vous.

Libby bouillait intérieurement en rangeant son petit linge. Clayton avait gagné cette première manche, soit… mais elle ne se laisserait pas faire pour autant ! Sa conscience s'accommodait mal de cette reculade.

Elle croisa le regard de Marc, qui l'observait.

— Oh, ne criez pas victoire ! Vous avez vingt-quatre heures pour organiser une rencontre avec mon père. Si dans ce délai vous n'avez pas tenu parole, je reviens à cet hôtel.

— Je verrai ce que je peux faire.

— Vous avez intérêt, parce que…

— Libby, finissez de ranger vos affaires, interrompit-il.

— Insupportable ! Absolument insupportable ! marmonna-t-elle entre ses dents.

Elle retourna dans la salle de bains récupérer le reste de ses affaires. Cette lutte psychologique l'épuisait, et sa plaie lui parut plus rouge et gonflée dans le miroir. D'ailleurs, elle était aussi devenue plus sensible.

— Vous êtes prête ?

Lorsqu'elle retourna dans la chambre, elle trouva Marc près de la porte, le sac à ses pieds.

— Franchement, je ne vois pas l'utilité de tant se presser, remarqua-t-elle peu après quand ils sortirent de l'hôtel.

— Les journalistes pourraient bientôt venir fureter dans le coin, et il faut que vous soyez examinée par un médecin… Enfin, j'ai d'autres choses à faire aujourd'hui.

— Justement, nous pourrions nous dispenser d'une consultation, ce serait autant de temps de gagné.

En parlant, ils étaient montés dans la voiture. Lorsque Marc démarra, l'idée qu'elle était en train de commettre une grave erreur s'ancra en Libby. Elle faillit lui demander de la laisser descendre. Cependant, vaincue par la lassitude, elle laissa reposer sa nuque contre l'appui-tête et essaya de se détendre. Son mal de tête semblait empirer. Mais peut-être était-ce dû à l'angoisse ?

— Marc, comment va mon père ? demanda-t-elle, revenant au sujet qui la préoccupait.

— Je vous l'ai dit. Il va bien.

— Vous pourriez me donner un peu plus de détails, non ? Que lui est-il arrivé exactement ? Est-il encore à l'hôpital ?

Marc ne répondit pas, il était concentré sur sa conduite.

— Marc !

— Votre père va bien, Libby, dit-il, lui jetant un regard impatient. Je ne sais pas exactement ce qui lui est arrivé, mais il n'est plus à l'hôpital. Il est chez lui, à Los Angeles.

— Ah… C'est une bonne nouvelle !

Ce fut dit d'un ton si enjoué que Marc fut de nouveau frappé par l'inquiétude que la santé de son père semblait inspirer à Libby. Mais cette inquiétude n'avait peut-être pas que des motifs louables. Peut-être était-ce juste la crainte que la fortune paternelle lui échappe s'il était arrivé malheur à Carl…

Il jeta un nouveau coup d'œil à sa passagère. Abandonnée contre le dossier, les yeux clos, celle-ci paraissait si fragile avec son teint de porcelaine… Bien fragile pour nourrir les desseins démoniaques qu'il lui prêtait.

Il reporta son attention sur la route, songeant qu'il ne fallait jamais se fier aux apparences.

Quelques minutes passèrent en silence.

— Libby, vous êtes bien calme. Ça va ?

Elle ne répondit pas.

Inquiet, il l'observa. Se serait-elle évanouie ?

— Libby ? Vous vous sentez bien ?

Les paupières de la jeune femme s'ouvrirent dans un battement de cils.

— Oui. Vous en faites, du bruit.

— Comment va votre tête ?

— J'ai un peu mal, mais ça passera.

— Vous avez sommeil, j'ai l'impression ? dit-il en la voyant refermer les paupières.

— Un peu. Ce doit être le contrecoup de toutes ces émotions à propos de mon père, l'anxiété…

Un panneau annonçait l'hôpital. Marc changea de file pour s'engager dans cette direction.

— Je sais que c'est difficile, mais il faut éviter de dormir tant qu'un médecin ne vous a pas examinée.

La jeune femme rouvrit les yeux.

— Marc, je n'ai pas besoin de médecin. Ce que vous êtes têtu !

— Non, pas têtu, prudent. N'oubliez pas que vous êtes sous ma responsabilité. S'il vous arrivait quelque chose, je devrais en répondre auprès de votre père.

Elle avait refermé les paupières. Son père… S'inquiétait-il de ce qui pouvait lui arriver ? Libby aurait aimé croire que oui. Mais elle n'était pas du tout sûre que ce soit le cas.

— Libby, ne vous endormez pas.

— Je ne dors pas.

La voiture s'immobilisa. Rouvrant les yeux, elle découvrit l'entrée des urgences.

— Marc, c'est absurde. Faire perdre du temps à un médecin pour un simple bobo au front…

Ignorant ses protestations, son conducteur descendit et alla lui ouvrir la portière.

Elle aurait voulu protester lorsqu'il glissa un bras autour d'elle pour l'aider. Mais non, il lui en coûterait un trop gros effort pour se dérober. Et puis, elle ne pouvait s'empêcher de penser qu'il était dommage que Marc Clayton fût un homme si désagréable, car, lorsqu'elle fermait les yeux et s'abandonnait contre lui, elle se sentait si bien…

Sa tête lui parut plus légère soudain, et, sans que rien l'eût laissé présager, Libby sentit le sol se dérober sous ses pieds.

La dernière chose dont elle eut conscience fut que Marc refermait les bras sur elle pour la retenir contre lui.

7.

Libby cligna des paupières. Voilà qu'on lui braquait de nouveau une lampe dans les yeux. Ne s'était-on pas déjà assez occupé d'elle ? On l'avait placée dans une chambre particulière, et la qualité des soins était irréprochable, mais une nuit passée à l'hôpital lui suffisait.

— Pensez-vous que je vais pouvoir sortir, docteur ? demanda-t-elle au médecin qui scrutait ses pupilles.

— Est-ce que vous serez seule ?

Dans son malheur, elle avait eu de la chance. Le Dr Amiel, qui s'occupait d'elle, parlait parfaitement l'anglais. Elle lui expliqua qu'elle allait loger pendant quelques jours dans une villa appartenant à un ami et qu'il y aurait là du personnel.

— Pourquoi cette question, docteur ?

— Après le traumatisme que vous avez subi, il va falloir vous ménager pendant un jour ou deux et vous surveiller de près pour éviter toute complication. S'il y avait quelqu'un auprès de vous, ce serait mieux.

— Je suis sûre qu'il y aura du personnel dans la maison, répondit-elle, affirmative.

Elle n'avait aucune envie de passer une nuit de plus à l'hôpital !

Un coup frappé à la porte la fit se retourner. Marc se tenait sur le seuil, un énorme bouquet de fleurs à la main.

— Puis-je entrer ? demanda-t-il, les interrogeant tour à tour du regard.

— Oui, entrez, répondit-elle aussitôt, tout heureuse de cette visite.

Marc lui sourit, et cela fit naître en elle une étrange exaltation.

Il était si beau, si sexy en pantalon kaki et chemisette blanche ouverte sur son torse bronzé…

— Salut, Laurent, lança-t-il d'un ton enjoué au médecin.

Tiens, ces deux-là s'appelaient par leurs prénoms ?

Marc posa son bouquet près d'elle sur la table de chevet.

— Elles sont magnifiques, merci, dit-elle, admirant l'association des iris et des roses blanches.

— Alors, Libby, comment vous sentez-vous ? s'enquit-il avec douceur, mais en posant sur elle ce regard scrutateur qui avait le don de la mettre mal à l'aise.

— Ça va… En fait, je suis assez impatiente de sortir, maintenant.

Le médecin intervint.

— J'expliquais à l'instant à Mlle Sheridan que je veux bien la libérer, mais qu'il serait souhaitable qu'elle ait quelqu'un avec elle pour la surveiller pendant encore vingt-quatre heures.

— Pas de problème, répondit immédiatement Marc. Je veillerai sur elle.

Laurent Amiel, sourire satisfait aux lèvres, se tourna vers elle.

— Dans ce cas, vous êtes libre !

Elle était contente, certes, mais la perspective de se retrouver sous la garde de Marc Clayton pendant toute une journée l'emplissait d'une indéniable nervosité.

Peut-être ce dernier le lut-il dans son regard, car il déclara avec un sourire rassurant :

— Vous verrez, ça ira beaucoup mieux quand vous serez dehors. Au grand air, au soleil.

— Oui, sans doute, murmura-t-elle.

Là-dessus, Marc emboîta le pas au médecin qui quittait la chambre.

Ils se parlaient en français, et leur conservation se poursuivit dans le couloir près de la porte.

Que pouvaient-ils bien se dire ? Apparemment, Marc posait des questions et paraissait soucieux.

Une infirmière entra sur ces entrefaites et referma la porte.

— Bonjour, mademoiselle, lança-t-elle gaiement. Je viens vous aider à vous habiller, puisqu'il paraît que vous rentrez chez vous. D'accord ?

Libby acquiesça. Chez elle, pas précisément, songea-t-elle.

— Votre petit ami est drôlement beau, remarqua l'infirmière d'un air malicieux en lui apportant ses affaires.

— Ce n'est pas mon petit ami, rectifia-t-elle en riant. C'est simplement…

Là, elle hésita. Qu'était au juste Marc pour elle ?

— Disons… une relation d'affaires.

— Tiens donc ! Ici, tout le monde l'a pris pour votre amoureux. M. Clayton s'est tellement inquiété pour vous. Il est resté ici à votre chevet jusque tard dans la nuit.

— Ah ?

C'était à son tour d'être étonnée ! Des heures de la veille passées à l'hôpital, elle ne gardait qu'un souvenir très confus.

— Oh oui ! Et il a insisté pour qu'on vous donne la meilleure chambre particulière… Mais il est vrai que M. Clayton est un homme si délicat et attentionné.

— Vous avez l'air de bien le connaître.

— Il vient très souvent en France. C'est un ami du Dr Amiel, qui a beaucoup d'estime pour lui… Et, comme il est connu et qu'il est bel homme, on s'intéresse à sa vie sentimentale, ajouta l'infirmière, recouvrant son sourire malicieux.

— Eh bien, désolée, il n'y a aucune idylle entre nous. En fait, nous nous connaissons à peine.

Cela parut décevoir l'infirmière.

74

— Dommage… A le voir si préoccupé, nous pensions toutes qu'il vous adorait. En plus, vous formez un si beau couple !

Ces paroles lui réchauffèrent le cœur. Mais, se dit-elle après coup, l'inquiétude de Marc devait avoir une explication plus prosaïque. Il craignait sans doute qu'elle reçoive la visite de journalistes et fasse des déclarations mal à propos !

Quelque temps après, elle quittait l'établissement accompagnée de Marc, qui avait passé un bras secourable sous le sien pour traverser le hall. Ils n'avaient pas prévu cependant que des journalistes les « accueilleraient » à leur sortie, appareils photo braqués sur eux.

— Il paraît que Mlle Sheridan est la fille de Carl Quinton. Est-ce vrai ? lança l'un d'eux.

Mais Marc l'entraînait rapidement, un bras autour de ses épaules.

— Soyez gentils, laissez-nous passer, leur dit-il sèchement. Mlle Sheridan n'est pas en état de vous répondre.

— Et, d'après certaines rumeurs à l'hôpital, il y aurait quelque chose entre vous…

Sans répondre, Marc l'aida à monter en voiture.

— Je suis bien contente de partir d'ici, murmura Libby quand il eut démarré.

Elle jeta un coup d'œil vers Marc. L'air sombre, celui-ci semblait absorbé dans ses pensées. Peut-être s'imaginait-il que c'était elle qui avait délibérément répandu ces rumeurs à l'hôpital ? Elle soupira intérieurement. Une mise au point s'imposait.

— Marc, au cas où vous vous poseriez la question, sachez que ce n'est pas moi qui ai fait courir le bruit dont parlaient ces journalistes, déclara-t-elle avec force. Il semble que les infirmières aient tiré de fausses conclusions en vous voyant si inquiet à mon sujet… Elles ne pouvaient pas se douter, bien sûr, qu'en réalité vous vous moquiez bien de mon sort et que votre souci était que les journalistes n'arrivent pas jusqu'à moi.

Marc se tourna vers elle, sourcils froncés.

— Libby, dit-il, très calme, je n'ai songé à aucun moment que vous puissiez être à l'origine d'une telle rumeur. Si ces types ont posé la question, c'est sûrement à cause des photos de l'autre jour.

Un peu déconcertée, elle regretta après coup la véhémence de sa réaction.

— Quoi qu'il en soit, quand j'ai eu vent de cette rumeur tout à l'heure à l'hôpital, j'ai pris soin d'y mettre un terme. J'ai dit à l'infirmière que vous étiez une simple relation d'affaires.

— Une relation d'affaires ? répéta-t-il, visiblement amusé.

— Il fallait bien que je dise quelque chose. Je ne tenais pas plus que vous à laisser croire ce genre de chose.

— Bien sûr. Vous devez penser à votre réconciliation avec votre petit ami, n'est-ce pas ? ajouta Marc, un brin moqueur.

Aussitôt, elle se troubla en se rappelant qu'elle lui avait menti sur le sujet.

— Euh… Oui.

— Eh bien, à titre d'information, sachez que c'était votre état qui me préoccupait à l'hôpital. J'étais même très inquiet à votre sujet.

— Ah bon ?

Voilà qu'elle éprouvait de nouveau cette folle bouffée d'allégresse… Quelle idiote ! Il ne le pensait pas vraiment.

— Vous m'avez rudement effrayé, renchérit Marc en lui souriant.

— Votre réel souci, à mon avis, protesta-t-elle, c'est le risque de toute publicité négative sur la carrière de mon père.

— Il va sans dire que le sujet ne me laisse pas indifférent.

Ah, elle le savait bien ! Il n'en avait rien à faire d'elle, en réalité. Elle aurait voulu montrer le même détachement à l'égard de Marc… Seulement voilà, elle était sensible à son charme, beaucoup trop. Et cela rendait la situation explosive.

Bientôt, elle constata qu'il gardait l'air sérieux, comme si quelque chose le perturbait.

76

— Si vous me permettez cette remarque, je vous trouve un peu…
pensif. Quelque chose ne va pas ?

— Non, non.

Marc adressa à Libby un sourire rassurant avant de reporter son
attention sur sa conduite.

Impossible d'avouer à celle-ci qu'il était préoccupé en fait par
son coup de téléphone à son père, ce matin. Il avait appelé Carl pour
l'informer que Libby était à l'hôpital. Ce n'était pas grave, il ne fallait
pas s'inquiéter, avait-il précisé, pensant toutefois que le père volerait
au chevet de sa fille. Mais non, Carl n'en avait nullement manifesté
l'intention. Il était content que cet accident n'ait pas été plus sérieux,
avait-il déclaré pour tout commentaire.

Une réaction qui avait un peu déconcerté Marc…

— Dites-moi, mon père va bien ? s'enquit soudain Libby. Vous
ne me cachez rien, j'espère ?

Marc l'observa une ou deux secondes. Curieux, elle semblait
davantage s'inquiéter pour son père que l'inverse.

— Oui, il va bien, murmura-t-il, laconique.

— Il vient toujours au Festival ?

Marc reporta son attention sur sa passagère. Ses yeux bleus le
regardaient, pleins d'espoir.

Il ne devait pas se laisser abuser. Elle était simplement bonne
comédienne…

— Oui, il sera là dans quelques jours.

Le sourire de la jeune femme s'évanouit.

— Dans quelques jours ? Je croyais qu'il arriverait plus tôt. Vous
aviez parlé de deux jours après mon arrivée, non ?

— Oui, euh… Il y a eu un changement de programme.

— Ah…

Stoïque, Libby regarda droit devant elle.

Malgré lui, Marc fut touché de la voir si maussade.

— Vous allez vous faire dorloter pendant ces quelques jours, lui dit-il gaiement. Ce sont les instructions du médecin… Et, demain, ajouta-t-il sur une impulsion, nous pourrions aller déjeuner à Nice si vous voulez.

— Pourquoi ? demanda-t-elle, coulant vers lui un regard méfiant.

Il rit.

— Faut-il que nous ayons une raison particulière ?

— Je croyais que vous vouliez me garder en sécurité dans votre villa, loin de la presse et de tous les curieux ?

— Déjeuner à Nice n'est pas un problème. La plupart des journalistes ont l'œil rivé sur Cannes.

— Oui, eh bien, je préfère m'abstenir, merci.

— Pourquoi ?

— Parce que déjeuner avec quelqu'un qui a une si mauvaise opinion de moi, franchement, ça ne m'amuse pas.

— Bien, fit Marc d'un ton nettement moins amène. En tout cas, si vous changez d'avis, ma proposition reste valable.

— Je ne changerai pas d'avis.

Après cette escarmouche, Libby essaya de s'intéresser au paysage afin d'oublier la soudaine tension de l'atmosphère. La vue de toute beauté eut tôt fait de capter son attention. Ils circulaient sur une étroite route taillée dans la roche. Une roche d'un rouge feu qui contrastait de façon saisissante avec l'azur du ciel et le bleu intense de la Méditerranée qu'ils surplombaient. De loin en loin, de minuscules criques s'offraient quelques secondes au regard. Des gens y lézardaient au soleil ou se baignaient.

Quelle chance ils avaient ! Comme elle aurait aimé être à leur place et n'avoir d'autre souci que le choix de l'indice de protection de sa crème solaire !

Bientôt, Marc s'engagea sur un chemin privé, avant de s'arrêter un peu plus loin face à un imposant portail de fer forgé. Les portes s'ouvrirent automatiquement pour se refermer sur leur passage, et ils continuèrent leur route le long d'une allée bordée de cyprès.

— Nous voici dans l'enceinte de ma prison, remarqua-t-elle, mi-sérieuse, mi-ironique.

— Ça n'a rien d'une prison. Vous pourrez aller et venir à votre guise, Libby, je vous l'ai dit. Jacques se fera un plaisir de vous emmener en voiture où vous voudrez.

— Je sais conduire, vous savez. Et je n'ai pas besoin d'un espion qui surveille mes faits et gestes.

— Jacques est un chauffeur, pas un espion. Je pourrais vous laisser une voiture, bien sûr, mais c'est tellement plus simple de vous faire conduire par le chauffeur.

Libby n'était pas convaincue par l'argument. Marc ne l'avait emmenée là que pour mieux la tenir à l'œil ! Bien sûr que le chauffeur ferait office d'espion, c'était dans la logique des choses !

Après quelques méandres, une belle villa de style provençal lovée sous les pins se révéla soudain au détour d'un virage. Un toit de tuiles roses, des murs beige rosé, le tout entouré d'une profusion de fleurs aux couleurs éclatantes. La porte, flanquée d'une somptueuse bougainvillée pourpre, était peinte en vert, comme les volets. On y accédait par un court escalier de pierre.

— Cette maison est à vous ? demanda-t-elle, admirative.

— Oui. Elle vous plaît ?

— Beaucoup... C'est ravissant.

Marc sourit.

— Il y a du personnel qui vit là à demeure. Marion s'occupe du ménage, et Claude, son mari, du jardin. Ils logent dans l'annexe, tout près.

— Et cette villa ne sert que pour les clients qui ont besoin d'intimité ?

Il acquiesça.

Manifestement, Marc, lui, n'avait pas de problèmes de trésorerie.

A quoi devait ressembler la villa où il logeait lui-même, si celle-ci n'était qu'une résidence secondaire ?

Quand ils entrèrent, elle fut impressionnée par le volume du hall, la noblesse de l'escalier de chêne et des boiseries.

Marc jeta son trousseau de clés sur la console de bois peint de l'entrée.

— J'ai des consignes strictes du Dr Amiel, déclara-t-il. Il faut que vous vous ménagiez. Aussi, je propose que vous vous installiez, puis nous irons boire un verre dans le jardin avant de dîner.

— Vous ne retournez pas chez vous ? Vous êtes un homme très occupé, vous devez avoir mille choses à faire.

Marc ignora ouvertement le sarcasme. Il répondit sur le même registre :

— Non. J'ai annulé mes obligations exprès pour vous.

À cet instant, une femme parut du fond de la maison, la cinquantaine environ, vêtue d'une robe fleurie.

— Voici Marion, annonça Marc avec un sourire. Vous voulez bien conduire Libby à sa chambre, Marion ? J'ai quelques coups de téléphone à donner.

L'employée, informée de l'accident de Libby, s'enquit aimablement de sa santé pendant qu'elles montaient à l'étage. Là, elle la conduisit dans une jolie chambre avec vue sur la mer. Mais ce fut le grand lit à colonnes surmonté d'un ciel de lit de mousseline blanche qui la ravit littéralement par son charme romantique.

Soudain, le rêve fait la nuit de son arrivée resurgit inopinément à sa mémoire. Marc la déshabillant, l'enlaçant, la caressant... Ces images dérangeantes firent s'emballer son cœur, tant elles étaient demeurées vives, précises dans son souvenir.

— Si vous permettez, je vous débarrasse de ces fleurs, je les mettrai dans un vase.

Marion lui prit des mains le bouquet d'iris et de roses blanches qu'elle avait emporté en partant de l'hôpital. Ce geste l'arracha providentiellement à ses rêveries.

— Et vous avez la salle de bains ici, poursuivit Marion, indiquant une porte au fond de la chambre. Je vais dire à Claude de vous monter votre sac.

Libby remercia Marion et, une fois seule, alla faire un tour dans la salle de bains. Celle-ci était d'un luxe discret, dans une harmonie de blanc et or. A la vue de son reflet dans le miroir, elle fit la moue : elle était pâle et son front restait tuméfié. Peut-être Marc avait-il raison, quelques moments de détente dans le jardin lui feraient du bien.

Une fois en possession de son sac, elle déballa rapidement ses affaires, regrettant d'avoir emporté si peu de vêtements. Dans le contexte où elle se trouvait, des tenues un peu plus glamour que ses petites robes d'été n'auraient pas été inutiles ! Elle prit du linge de rechange puis fila sous la douche.

Quand elle redescendit, elle aperçut Marc toujours au téléphone dans le bureau. Elle continua donc son chemin dans le couloir jusqu'au salon.

Malgré ses dimensions spacieuses, la pièce dégageait une atmosphère douillette et reposante avec son décor aux teintes chaudes. Il y avait une splendide cheminée de pierre et, sur le mur opposé, une porte-fenêtre donnait sur le jardin.

Libby s'en approcha. Son regard fut attiré par les eaux turquoise d'une piscine scintillant au soleil. Au-delà, la Méditerranée offrait l'incomparable spectacle de sa beauté. Elle voulut sortir dans le jardin, mais la porte semblait verrouillée, et elle réprima un mouvement d'humeur.

Il n'y avait plus qu'à attendre que Marc ait terminé ses coups de téléphone.

Avisant la télécommande de la télévision, elle alluma le poste et finit après quelques tâtonnements par tomber sur une chaîne anglophone.

« Et maintenant les dernières nouvelles de Carl Quinton, annonça la présentatrice américaine, une blonde au brushing impeccable. Je vous rappelle que l'acteur a été impliqué dans un accident de voiture à Los Angeles. Il a eu de la chance, il s'en sort finalement avec quelques égratignures. »

L'image d'une voiture très endommagée parut à l'écran, suscitant l'effroi de Libby.

« Selon ses proches, M. Quinton serait en forme et n'aurait pas renoncé à se rendre au Festival de Cannes…»

Son attention fut détournée à cet instant par l'arrivée de Marc dans le salon.

— Vous ne m'aviez pas dit que mon père avait été victime d'un si grave accident, murmura-t-elle, la voix altérée par l'émotion. D'après vous, ce n'était rien !

Marc prit la télécommande et éteignit le poste.

— Il s'agit d'un coup de pub, Libby, dit-il, faisant taire les questions qui se bousculaient sur ses lèvres. Il n'y a jamais eu d'accident, c'était juste une petite mise en scène à l'intention des médias.

Ouf ! Passé ce sentiment de soulagement, cependant, elle se révolta. Pourquoi Marc ne l'avait-il pas prévenue ?

— Vous le saviez quand vous m'avez invitée à dîner l'autre soir, n'est-ce pas ?

Il eut une courte hésitation.

— Oui, je le savais.

— Pourquoi ne m'avoir rien dit ? Pouvez-vous imaginer mon angoisse quand j'ai découvert cet article dans le journal ? Vous auriez pu m'éviter cette épreuve !

Sous l'effet de la colère, elle s'était levée.

Marc laissa courir son regard sur la jeune femme. Elle portait la même robe sexy que le premier soir au restaurant. Elle était charmante, mais bien pâle aussi. Et, derrière l'indignation, il devina dans ses yeux bleus une inquiétude poignante.

— Je suis désolé, Libby, vraiment. Je ne voulais pas vous causer ces tourments.

— Désolé, désolé… C'est un peu facile ! En fait, je sais pourquoi vous ne m'avez rien dit. Vous aviez peur que je révèle à la presse que c'était un simple coup de pub.

— Ça m'a traversé l'esprit, en effet.

Pour une raison inexplicable, cette réponse parut la blesser. Espérait-elle sincèrement un démenti de sa part ?

— Je suis navré, fit-il en lui effleurant la joue. Je ne voulais pas vous faire de mal. Pour tout dire, je comptais vous annoncer la nouvelle avant qu'elle ne soit divulguée, mais j'ai été pris de court. Quand je suis venu vous chercher à l'hôtel, vous n'y étiez pas.

Ces mots doucement murmurés et cette caresse sur son visage parurent agir momentanément sur l'humeur de Libby, mais elle s'écarta prestement.

— Ce sont de faux prétextes, Marc, assena-t-elle. Le fait est que vous m'avez tenue délibérément dans l'ignorance.

Ce reproche lui donna un peu mauvaise conscience. S'il l'avait mise au courant, peut-être n'aurait-elle pas traversé si imprudemment devant cette voiture ?

Une nouvelle fois, le doute le traversa. Se serait-il trompé ? L'inquiétude que montrait Libby pour son père était-elle sincère ? Ou bien cette fille était-elle une experte dans l'art de la mystification, une remarquable comédienne ?

Marion entra avec un plateau.

— Je vous ai préparé du thé glacé. Vous le prendrez ici ou dans le jardin ? demanda-t-elle aimablement.

— Dans le jardin, Marion, merci.

Pendant que l'employée ouvrait la large baie vitrée puis disparaissait à l'extérieur, il repensa à ses doutes. Il n'avait pas la réponse à ses questions, mais une chose était sûre : quand Libby était sur son lit d'hôpital, pâle et fragile, elle ne simulait pas.

— Ecoutez, Libby, il ne faut pas vous mettre dans de tels états. Souvenez-vous, le Dr Amiel a dit que vous deviez vous ménager, éviter tout stress. Je propose que nous fassions la paix, d'accord ? Je regrette sincèrement de ne pas vous avoir prévenue de ce coup de pub… Je vous assure que je ne vous cacherai plus rien à l'avenir, et que je vais faire en sorte que vous puissiez rencontrer votre père.

— Vraiment ? Vous me le promettez ? fit-elle, méfiante.

Marc acquiesça, puis la prit par le bras.

— Ne restons pas là. Il fait si bon dehors !

La vue depuis le jardin était superbe. La Méditerranée s'offrait au regard d'un bout à l'autre de l'horizon, piquetée çà et là du blanc des voiles de bateaux qui semblaient immobiles. La côte, très découpée, s'étendait sur des kilomètres, vierge de toute habitation. Même la villa de Marc n'était pas visible, mais Libby aperçut sous les pins un sentier qui menait à une petite plage privée à l'abri des regards — sans doute celle qui reliait les deux propriétés.

— C'est un site splendide, remarqua-t-elle tandis qu'ils se dirigeaient vers le salon de jardin à proximité de la piscine.

Marc approuva.

— A terme, j'aimerais bien vivre ici à demeure.

— Et votre petite fille ? Vous ne la laisseriez pas, tout de même ?

— Non, certainement pas. Mais j'ai un projet qui devrait me permettre de profiter de la France sans sacrifier ma fille.

— Quel genre de projet ? demanda-t-elle par curiosité.

Ce qui lui valut un sourire de Marc.

— Je suis superstitieux, je préfère ne pas en parler pour le moment.

— Tout cela est bien mystérieux…

Rechignait-il à lui en dire plus parce qu'il n'avait pas confiance en elle ? Eh bien, tant pis ! se dit-elle non sans un pincement au cœur. Elle non plus n'avait pas confiance en lui.

Marc l'invita à s'asseoir sur un transat face à la mer. Une fois installée, elle releva légèrement le bas de sa robe afin d'exposer ses jambes à la caresse du soleil.

— Et vous ? s'enquit soudain son compagnon. Vous vous plaisez à Londres ?

— J'aime bien Londres, oui. La vie y est un peu trépidante à mon goût, mais cela n'a pas que des inconvénients. La vie culturelle est très riche, et c'est une ville cosmopolite.

— Vous travaillez dans la publicité, je crois ?

Elle acquiesça puis ajouta d'un ton suave :

— Mais vous savez déjà tout de moi, non ? Votre détective privé vous a livré un rapport détaillé.

Il sourit.

— Non, ça n'est pas vrai du tout. Je lui ai juste demandé de vérifier que vous étiez bien la personne que vous prétendiez.

— Et de faire une petite enquête au passage sur ma situation financière ! Ah, et j'oubliais, de jeter également un coup d'œil dans ma vie privée.

— Vous n'allez pas me reprocher ma curiosité à votre égard ?

Elle lui décocha un regard en coin.

— Eh bien si, figurez-vous.

Un sourire flotta sur les lèvres de Marc.

— Si ça peut vous consoler, confessa-t-il, une irrésistible sensualité dans la voix, dès que je vous ai vue en photo, je suis littéralement tombé sous le charme. Et j'aimerais en connaître bien davantage sur vous.

Libby sentit le désir déferler en elle à ces mots. Là-dessus, leurs regards se rencontrèrent, et son émoi décupla. Il lui fallut toute sa volonté pour parvenir à se ressaisir.

— Ecoutez, Marc, je ne doute pas que la plupart des femmes soient sensibls à vos flatteries, mais, avec moi, ça ne marche pas.

— Vraiment ? Vous en êtes sûre ? demanda-t-il sur un ton nonchalant où perçait une pointe d'amusement.

Un ton qui suffit à faire battre plus vite le cœur de Libby.

— Tout à fait sûre, oui, murmura-t-elle. Parce que les hommes de votre genre, je les connais. Et je sais très bien ce qu'ils pensent réellement.

— Et quel genre d'homme suis-je ? demanda-t-il, comme captivé par ses paroles.

Il s'était rapproché d'elle et ne la quittait pas des yeux.

Libby aurait perdu ses moyens pour moins que cela !

— Eh bien… Celui qui ne s'embarrasse d'aucun principe. Vous pensez qu'il vous suffit de proférer de belles paroles et de faire les yeux doux à une femme pour obtenir ce que vous voulez, n'est-ce pas ?

— A ce point-là ?

A son intonation, elle le devina amusé et jeta un coup d'œil dans sa direction.

Marc contemplait insolemment ses jambes.

— Puisque vous êtes si perspicace, reprit-il, savez-vous à quoi je pense en ce moment ?

Sa voix s'était faite plus rauque, plus grave. Plus charmeuse.

Derrière ce badinage de façade se cachait un puissant courant de sensualité. Libby le sentait vibrer entre eux, telle une présence tangible, et cela l'effraya. Il eût été si facile de se laisser engloutir… Une fois de plus, il lui fallut faire appel à toute sa volonté pour résister.

S'arrachant à l'éclat envoûtant du regard qui l'enveloppait, elle répondit :

— Oui, je le sais… Vous vous dites que je suis une proie facile. Mais je dois vous prévenir qu'il n'en est rien.

Marc rit.

— Je n'ai jamais pensé cela à votre sujet, Libby.

Elle se tourna vers lui et ne put s'empêcher de sourire en croisant son regard.

— Bon. Dans la mesure où nous nous comprenons…

— Oh, je crois que nous nous comprenons parfaitement.

Marc avait posé les yeux sur sa bouche.

Dans le silence qui suivit, Libby sentit monter en elle un trouble incontrôlé… Un émoi de tout son être. Une irrésistible envie la saisit de goûter de nouveau aux lèvres de Marc, si proches. De s'abandonner contre lui et d'oublier tout le reste…

Horrifiée, elle se détourna et dit la première chose qui lui vint à l'esprit.

— J'espère que vous ne vous sentez pas obligé de me tenir compagnie. Je peux très bien rester seule.

— J'ai promis au Dr Amiel que je veillerais sur vous, Libby, et je n'ai pas l'intention de vous laisser.

— Mais je me sens très bien… Vraiment.

— Ça ne veut rien dire. Je crains que vous ne deviez me supporter toute la soirée, ajouta-t-il dans un sourire.

Puis il se tourna vers une table voisine pour servir leurs boissons, et il n'y eut plus que le tintement des glaçons et le bourdonnement d'une abeille dans les lauriers roses pour meubler le silence.

Tout respirait la paix et la tranquillité, pourtant Libby sentait à fleur de peau le danger de sa situation. Elle était attirée par Marc. A quoi bon le nier ? Il existait bel et bien une alchimie entre eux. Et ce qui la troublait plus encore, c'était la certitude que Marc en avait tout aussi conscience qu'elle…

8.

Quand Marc tendit son verre de thé glacé à Libby, il remarqua avec quelle précaution elle le prenait pour éviter tout contact avec lui.

Le silence devenait pesant.

Elle chercha quelque chose à dire pour essayer de dissiper la tension de l'atmosphère.

— Ce thé est bien rafraîchissant.

— Oui, Marion a sa petite recette personnelle pour le préparer. C'est une vraie perle.

— Pour ma part, je ne suis pas très douée en cuisine, hélas.

— Oh, vous avez certainement d'autres talents, répliqua calmement Marc.

Elle n'osa le regarder, troublée par les accents sensuels de sa voix et persuadée qu'ils s'aventuraient là en terrain dangereux.

Aussi feignit-elle de contempler le coucher du soleil. L'astre de feu tombait sur l'horizon, embrasant la mer de somptueux reflets mordorés. La lumière aussi déclinait rapidement, et des lampes s'allumèrent dans le jardin. Elles scintillaient le long des allées entre les parterres de fleurs et éclairaient l'intérieur de la piscine d'une belle couleur turquoise.

Libby risqua un regard vers son compagnon et se sentit gênée. Marc la fixait aussi attentivement qu'elle-même observait le coucher de soleil. Elle n'aurait su dire si elle se réjouissait de voir tomber sur eux le manteau des ténèbres ou au contraire s'inquiétait de l'intimité qu'il risquait de créer entre eux.

— Marc, si vous me disiez comment est mon père maintenant ? demanda-t-elle, afin de conjurer le malaise qui l'avait envahie.

— C'est quelqu'un de très sympathique, répondit prudemment Marc.

— Parlez-moi un peu de lui.

Marc hésita.

— Vous ne devez pas ignorer qu'il a été marié trois fois ?

— Oui, j'ai appris ça. Il n'a pas eu beaucoup de chance en amour, j'ai l'impression. C'est curieux qu'il n'ait pas eu d'autres enfants.

— Pas vraiment. Je crois que cela l'avait beaucoup affecté de vous perdre.

Cette remarque la toucha. Mais dans quelle mesure était-elle vraie ?

— En dehors de cela, que vous dire ? poursuivit Marc. Carl vit à Los Angeles. Il travaillait comme comédien pour une télévision locale, il n'avait pas vraiment de perspectives d'évolution. C'est là que je l'ai découvert. Depuis, sa carrière a vraiment explosé.

— On ne peut pas dire que vous soyez modeste, Marc, nota-t-elle avec un sourire.

Marc haussa les épaules. Son œil pétillait, son visage s'animait.

— Je n'invente rien, ce sont les faits ! Carl avait des talents inexploités, et moi, j'ai des relations et le sens des affaires. J'ai vu l'intérêt que nous aurions à mettre nos compétences en commun... Et le résultat est là ! Carl est maintenant connu aux Etats-Unis. Et il vient de tourner avec Julia Hynes, ce qui est une sacrée référence. Donc, oui, votre père est en train de devenir une star.

— J'ai l'impression que ce milieu vous fait vibrer, observa-t-elle. C'est pourtant un monde impitoyable, non ?

— Ça peut l'être, oui.

— C'est pour cette raison que ça vous plaît tant ? demanda-t-elle impulsivement.

Marc ne répondit pas tout de suite. Il se tourna vers elle, et leurs regards s'ancrèrent un instant l'un à l'autre.

— Eh bien, disons que je n'ai jamais reculé devant un défi, en effet, déclara-t-il avec calme.

Un frisson parcourut Libby. Affronter Marc Clayton n'était pas sans danger. Mais ne l'avait-elle pas deviné depuis le début ?

— Du reste, je crois que vous êtes pareille, ajouta soudain celui-ci. Il n'est pas dans votre nature non plus de reculer devant l'obstacle.

— C'est possible, murmura-t-elle.

— Et peut-être est-ce pour cette raison qu'il existe une alchimie entre nous.

— Vous trouvez ? balbutia-t-elle, se demandant comment elle avait pu se laisser entraîner sur un terrain aussi dangereux.

— Vous le savez aussi bien que moi, Libby.

Il avait les yeux rivés sur ses lèvres, et elle sentit son cœur battre la chamade.

Aussi fut-ce avec un indicible soulagement qu'elle vit Marion arriver et annoncer que le dîner était prêt.

— Sauvée par la providence, murmura Marc avec un petit sourire moqueur.

— Je ne me sentais pas en danger, fit-elle, dédaignant la main qu'il lui offrait pour l'aider à se lever.

— Si vous le dites…

Libby chercha un endroit frais dans le grand lit à colonnes. Elle était couchée depuis une heure maintenant, mais elle ne parvenait pas à s'endormir. Outre qu'il faisait très chaud, elle ne cessait de passer et repasser dans sa tête le film de la soirée.

Force lui était d'admettre que ce dîner aux chandelles en compagnie de Marc s'était révélé très agréable. Par une sorte d'entente tacite, ils avaient évité tout sujet susceptible de les brouiller et avaient même réussi à rire et à plaisanter ensemble.

90

Au bout d'un moment, incapable de trouver le sommeil, elle finit par se lever et alla ouvrir la fenêtre.

Dehors, un délicieux parfum de lavande embaumait l'air, et le ciel était constellé d'étoiles. Appuyée à la fenêtre, elle se laissa imprégner par la douceur de la nuit, admirant le clair de lune qui se reflétait dans la piscine et faisait miroiter la surface sombre de la mer. C'était là un décor très romantique…

Soudain, un épisode de leur dîner refit surface dans son esprit. A un moment, Marc avait effleuré sa main sur la table tout en lui parlant. Et ce contact, quoique éphémère et sans signification particulière, lui avait mis les sens en feu

L'avait-il fait exprès ? Etait-ce un moyen de la tester, de voir sa réaction, comme l'eût fait un prédateur guettant les plus petits signes de faiblesse de sa proie ?

Contrariée par cette pensée, elle retourna se coucher.

C'était ridicule d'imaginer une pareille éventualité. Cependant, ce souvenir ne fit rien pour dissiper la sourde nervosité qui l'habitait et l'aider à trouver le sommeil. Elle essaya de songer à autre chose mais ses pensées revenaient inlassablement vers Marc.

Le nom d'Alice, sa petite fille, était revenu plusieurs fois dans sa bouche. Il était clair qu'il l'adorait. Et cette facette de père tendre et attentionné l'avait beaucoup touchée. Cela ne lui faisait que davantage apprécier Marc…

Elle se rappela quand elle avait regardé l'heure à sa montre après le repas et déclaré maladroitement qu'il se faisait tard.

— Il n'est que 22 h 30, lui avait-il rétorqué.

— Oui, mais il faudrait que j'aille me coucher. Et vous avez sans doute envie de rentrer chez vous, avait-elle ajouté dans un sourire. Vous devez avoir mille choses à faire demain, avec le Festival qui approche.

— Oui, mais les choses sérieuses ne démarreront vraiment qu'après-demain. Disons qu'en ce moment c'est plutôt le calme qui précède la tempête. Par la suite, je devrai assister à des projections, et j'ai un nombre incalculable de rendez-vous.

— Quel jour a lieu la projection de *Valeurs familiales* ?

— Euh, mercredi, il me semble.

Cette approximation l'avait étonnée.

— Il vous semble ?

— Votre père n'est pas mon unique client, Libby.

Certes. Elle avait eu néanmoins l'impression que c'était là un faux-fuyant. Comment Marc pouvait-il ne pas connaître précisément les dates auxquelles étaient présentés les films de ses clients ? Cet échange lui avait donné l'élan qui lui manquait pour se lever de table.

— Eh bien, je vous remercie pour cette soirée. C'était très agréable.

— Tout le plaisir était pour moi, avait-il répondu en quittant sa chaise à son tour.

Il l'avait accompagnée hors de la pièce jusqu'au pied de l'escalier.

— Merci encore, avait-elle murmuré, se sentant toute gauche pour une raison inexpliquée.

— Libby…

Elle s'apprêtait à monter quand il l'avait retenue par le bras pour l'embrasser.

Oh, un simple baiser sur la joue. Mais quelle émotion ce geste avait éveillé en elle ! Au seul fait de se remémorer la scène maintenant, elle en avait la bouche sèche. Et ce n'était pas sa joue qu'elle aurait voulu lui donner, mais ses lèvres ! Que de volonté il lui avait fallu pour garder malgré tout la tête froide, souhaiter bonne nuit à Marc et s'éloigner comme si de rien n'était…

Libby s'agita dans le lit, de plus en plus fébrile et tendue. Bientôt, n'y tenant plus, elle rabattit le drap et se leva. Comment rester allongée, immobile, avec cette fièvre qui la rongeait ? C'était impossible !

Elle retourna à la fenêtre et regarda le jardin dans la nuit, les terrasses désertées autour de la piscine. Soudain, il lui vint une idée.

L'eau de la piscine était-elle assez chaude pour se baigner ? C'était là le remède qu'il lui fallait. Sans s'interroger davantage, elle alla mettre son maillot de bain, enfila son peignoir par-dessus puis se munit d'une serviette avant de descendre sans bruit au rez-de-chaussée.

Il faisait noir dans la maison, et elle alluma quelques lampes sur son passage. Contrairement à ce qu'elle craignait, la porte-fenêtre du salon n'était pas fermée à clé et elle put sortir aisément dans le jardin.

La nuit était douce comme une caresse. L'éclairage extérieur était maintenant éteint, mais le clair du lune suffit à la guider jusqu'à la piscine. Elle trempa une main dans l'eau.

Pas très chaude… Elle hésita. Mais la perspective de retrouver son lit et de s'y tourner et retourner pendant Dieu sait encore combien de temps la dissuada de renoncer à sa baignade. Avant qu'elle ne change d'avis, elle retira vite son peignoir et entra dans le bassin par le large escalier.

Au premier abord, l'eau lui parut glacée. Mais, quand elle eut fait quelques brasses, la sensation de froid diminua et, à l'autre extrémité du bassin, elle finit même par trouver la température très agréable. Elle effectua avec plaisir plusieurs longueurs. Ensuite, elle se laissa flotter sur le dos et admira les constellations d'étoiles dans le ciel jusqu'à ce que, saisie de nouveau par le froid, elle ne se décide à sortir de l'eau.

A cet instant seulement, alors qu'elle nageait en direction de l'escalier, elle s'aperçut qu'elle n'était pas seule : Marc était assis sur la terrasse.

— Il y a longtemps que vous êtes là ? fit-elle, étonnée.

— Un certain temps, oui, répondit-il nonchalamment. Comme je n'étais pas fatigué, je suis sorti prendre l'air.

— Je vous croyais rentré chez vous depuis longtemps.

Elle s'accrocha à la margelle de la piscine, réticente à en sortir maintenant qu'elle se savait observée.

— Heureusement que je n'en ai rien fait. Ça ne m'aurait pas plu de vous savoir toute seule ici, dehors, alors que vous venez de sortir de l'hôpital.

— Marc, je vais très bien.

— Il n'empêche que, si vous aviez eu un malaise dans l'eau, c'était la noyade assurée.

Marc se leva et vint vers elle. Elle nota qu'il était habillé comme pendant le dîner. Il n'avait pas dû rentrer chez lui.

— Pourquoi aurais-je eu un malaise ? Vous êtes trop anxieux.

— Ce n'est pas mon avis. De toute façon, j'ai promis au Dr Amiel de veiller sur vous. Et j'estime que vous feriez mieux de sortir, dit-il en ramassant son peignoir. Vous allez prendre froid.

Libby n'avait pas spécialement envie de quitter le bassin. L'idée de se montrer devant Marc dans son minuscule deux-pièces la gênait horriblement.

— Je n'ai pas froid… Et je vous dispense de la responsabilité de me surveiller, ajouta-t-elle avec un soupir.

Marc s'accroupit devant elle sur la margelle.

— Si vous n'avez pas froid, comment se fait-il que vous frissonniez ?

L'amusement dans sa voix eut le don d'irriter Libby.

— Je vous dis que je n'ai pas froid. Et je sortirai lorsque vous serez parti.

Il sourit.

— Ecoutez, comme je suis un gentleman, je vais me retourner pendant que vous sortez et mettez ce peignoir. D'accord ?

Elle hésita.

— Bon, d'accord.

De toute façon, elle n'avait pas le choix. Avec l'immobilité, elle était frigorifiée.

Marc se releva et lui tourna le dos. Mais, quand, une fois sortie du bassin, elle chercha son peignoir, elle s'aperçut, dépitée, qu'il le tenait toujours à la main.

— Marc, vous avez mon peignoir !

94

— En effet, dit-il en se retournant et en promenant brièvement les yeux sur son anatomie. Je ne comprends pas que vous teniez tant à vous cacher, Libby. Vous avez un corps magnifique.

Sa voix un peu rauque, voilée, la fit frissonner plus encore.

— Trêve de flatteries, donnez-moi mon peignoir !

Impatiente, elle tendait la main. Mais, au lieu de s'exécuter, Marc s'approcha et lui en enveloppa lui-même les épaules.

Marc était tout proche, et son instinct commandait à Libby de reculer… mais elle serait tombée dans le bassin. Elle se frictionna pour se sécher, le foudroyant du regard.

— Vous avez trouvé ça drôle, je suppose ? ricana-t-elle.

— Qu'est-ce qui était drôle ?

— De jouer le soi-disant gentleman !

— Moi qui croyais mon attitude tout à fait irréprochable.

— Je ne suis pas vraiment de cet avis.

— Ah bon ?

Il approcha la main de son visage et lui caressa une joue puis l'autre avec une irrésistible douceur. Elle resta pétrifiée, étranglée par l'émotion, tandis qu'il enchaînait;

— Je me suis très bien tenu au dîner. Je ne vous ai pas fait d'avances… Pourtant, ce n'était pas l'envie qui m'en manquait.

Il hocha la tête.

— Et, quand vous êtes montée vous coucher, reprit-il, je vous ai juste fait un petit baiser sur la joue, alors que c'était de cela que j'avais envie…

Elle le vit approcher son visage. Marc allait l'embrasser, mais elle ne trouva pas la force de se dérober.

Et, quand ses lèvres s'unirent aux siennes, elles étaient d'une telle douceur, son baiser d'une telle sensualité qu'elle se sentit partir à la dérive. Elle en était encore tout étourdie quand Marc s'écarta pour plonger ses yeux dans les siens.

— Je vous ai laissée partir, monter à votre chambre, alors qu'en fait j'avais envie de vous prendre dans mes bras et de vous y emmener moi-même…

L'émotion de Libby atteignit son comble à ces mots doucement murmurés. Une émotion faite d'un mélange de crainte et d'excitation. Car elle aussi en avait eu secrètement envie. Elle en avait *toujours* envie. Et cette réalité l'effrayait.

— Donc, conclut Marc de cette même voix basse qui l'électrisait, j'estime avoir été très réservé. Je suis venu ici, dehors, pour reprendre mes esprits… Et voilà que m'est apparue une charmante créature qui s'est déshabillée sous mes yeux. C'était assez… perturbant, et je sens que toutes mes bonnes intentions sont en train de m'abandonner.

— J'ignorais que vous étiez là, souffla-t-elle, confuse.

Marc promena un doigt sur le pourtour de son visage, puis descendit plus bas, là où le maillot de bain soulignait la rondeur de sa gorge.

— Mais peut-être l'espériez-vous, tout au fond de vous ?

— Je vous trouve bien sûr de vous, Marc Clayton ! Je tiens à vous dire que je ne vous apprécie pas particulièrement.

— Ah oui ?

De la paume de la main, il effleurait à présent ses seins à travers le maillot et dut sentir leur pointe se durcir.

— Votre corps ne semble pas de cet avis, murmura-t-il.

— Vous vous trompez, c'est le froid.

— Non, Libby, ce n'est pas le froid. J'en suis sûr.

Comme pour le lui prouver, il captura de nouveau sa bouche et cette fois l'embrassa avec avidité. Elle sentit fondre ses dernières velléités de résistance sous l'assaut expert de ses caresses et de ses baisers. Et soudain, vaincue, elle s'abandonna au désir que cet homme éveillait en elle avec une si insolente facilité.

Ses mains vinrent d'abord se poser sur les épaules de Marc puis, comme mues par une volonté propre, errèrent dans ses cheveux tandis qu'elle lui rendait passionnément son baiser.

Elle sentit l'attache de son soutien-gorge se défaire, puis les mains de Marc écarter cette dérisoire protection pendant que sa bouche traçait un parcours brûlant le long de son cou, sur sa gorge… Comment résister ? C'était impossible.

Du pouce, Marc lui taquina la pointe d'un sein avant de capturer de nouveau ses lèvres, et elle se sentit littéralement chavirer sous le flot de plaisir.

Puis, tout à coup, Marc referma le peignoir sur elle. Allait-il s'arrêter là ? Quelle déception ! Quelle cruelle déception !

Il écarta de son visage quelques mèches de cheveux mouillés. Son geste était si plein de tendresse qu'elle en eut la gorge serrée, sans que cela dissipe en rien son désir. Au contraire.

— Nous rentrons ? Nous serons plus à l'aise à l'intérieur, souffla-t-il.

Un silence tendu succéda à ces paroles.

Voilà qu'elle hésitait à présent, déchirée entre l'appel impérieux de ses sens et son aversion à partager le lit d'un homme dont elle savait le peu d'estime qu'il avait pour elle. Si elle couchait avec Marc, ce serait juste sexuel. Or, elle n'avait jamais agi de la sorte auparavant.

Elle frissonna, et Marc resserra sur elle le peignoir.

— Vous êtes mouillée. Je vais vous aider à vous débarrasser de ces vêtements…

Il ponctua ces paroles d'un nouveau baiser, si ardent et passionné qu'il était difficile de penser qu'il s'agissait là d'une simple aventure d'un soir.

Très vite, leur étreinte s'enfiévra, le désir reprit ses droits, et elle oublia ses scrupules. Elle oublia tout hormis l'élan puissant, primitif qui les poussait l'un vers l'autre.

— D'accord, je veux bien, souffla-t-elle contre ses lèvres. Mais juste pour cette fois… Et ça ne signifie rien de sérieux.

Dès ses premiers mots, Marc l'avait déjà soulevée dans ses bras.

9.

De son lit, Libby regardait d'un air absent les ombres que dessinaient les premières lueurs de l'aube au plafond de la chambre.

Elle n'en revenait pas d'avoir couché avec Marc. C'était presque impensable. Pourtant, il lui suffisait de tourner la tête pour le voir près d'elle, dans le lit. Elle avait couché avec Marc Clayton, son ennemi ! Mais le pire, peut-être, c'est que cela avait été une expérience fabuleuse…

Elle essaya de ne plus y penser, mais les images brûlantes de leurs étreintes s'imposèrent malgré elle à son souvenir. Quand Marc l'avait emmenée dans la chambre, elle avait littéralement fui dans la salle de bains, sous prétexte qu'elle voulait se doucher pour se débarrasser du chlore de la piscine. En fait, il s'agissait d'une ultime tentative désespérée pour recouvrer ses esprits et trouver la force de renverser la situation tant qu'il en était encore temps. Elle n'avait pas prévu que Marc viendrait la rejoindre dans la cabine de douche… Et, là, tout en elle avait vacillé. En maître incontestable qu'il était dans l'art de la séduction, il l'avait transportée par ses baisers et ses caresses. Elle n'oublierait jamais comme il lui avait fait tourner la tête.

Il avait éveillé en elle une sensualité incroyable dont elle n'avait jamais soupçonné l'existence jusque-là. Aucun homme ne lui avait fait perdre ainsi tout contrôle d'elle-même auparavant, pas même Simon. Pourtant, elle se croyait sincèrement amoureuse de lui. Quel étrange paradoxe qu'un homme comme Marc — qu'elle était loin de porter dans son cœur — pût la bouleverser à ce point !

C'était une émotion purement physique, se dit-elle. Mais, tout de même, quelle intensité ! Après ce délicieux prélude sous la douche, Marc l'avait transportée jusqu'au lit et lui avait fait l'amour avec une parfaite maîtrise de soi. Et quand, pantelante de désir, elle l'avait finalement supplié de la combler, le plaisir avait été à la hauteur du reste, éblouissant, magique… Rétrospectivement, ce total abandon d'elle-même lui inspirait des sentiments un peu dérangeants. N'était-il pas étrange qu'un homme qu'elle considérait comme un ennemi pût susciter en elle des réactions aussi exaltées ?

Elle tourna prudemment la tête vers Marc, s'arrêtant presque de respirer pour le contempler.

Même endormi, il dégageait une incroyable assurance. Pas le plus petit signe de vulnérabilité sur son visage. Tous ses traits exprimaient la force, la détermination. Le drap avait glissé jusqu'à sa taille, et elle put admirer à loisir les puissantes épaules, le torse large, musclé, le ventre plat. Soudain, une folle envie la saisit de le toucher, de sentir de nouveau sous ses doigts le grain de sa peau, de le réveiller d'un baiser et de lui demander de lui faire l'amour…

Elle serra les poings pour mieux se garder d'une telle initiative. Ne s'était-elle pas déjà assez abandonnée cette nuit ? Une fois suffisait ! Il lui en coûta cependant un cruel effort pour se détourner. Elle repoussa le drap et allait se lever quand la voix de Marc la figea net.

— Eh, où vas-tu ?

Son cœur se mit à battre la chamade. Assise au bord du lit, elle sentit la main de Marc lui caresser délicieusement le dos, mais elle ne se retourna pas.

— Je me lève, dit-elle, ramassant son peignoir sur le sol.

— Il est encore tôt.

— Oui, mais j'ai prévu de sortir. Je vais faire un peu de tourisme et quelques achats, répondit-elle, refoulant l'envie de le rejoindre entre les draps. Et je suppose que toi aussi, tu dois avoir des choses importantes à faire aujourd'hui.

Elle s'était levée et nouait avec détermination la ceinture de son déshabillé.

— Pas vraiment… Mais je pense à certaines occupations qui ne me seraient pas désagréables.

Ce fut dit sur ce même ton badin qui avait eu sur elle un effet si dévastateur la veille. Cela voulait-il dire qu'il espérait la voir revenir près de lui ?

Elle jeta prudemment un coup d'œil vers Marc. Assis dans le lit, adossé contre l'oreiller, il était si beau qu'elle sentit son cœur chavirer. Son imagination s'enfiévra. Elle se vit lui tombant dans les bras, et Marc entrouvrant son peignoir pour couvrir son corps de baisers…

Elle chassa résolument ce doux fantasme et déclara avec fermeté :

— Pour lever toute ambiguïté, Marc, je tiens à préciser que ce qui s'est passé entre nous cette nuit ne signifie rien de sérieux. C'était juste pour s'amuser, dit-elle, se demandant si elle n'essayait pas de s'en convaincre davantage elle-même. Ne t'imagine surtout pas que tu vas me détourner de l'objectif qui m'a amenée ici.

— Certainement pas. Je te connais trop bien pour me risquer à une chose pareille, dit-il, un petit sourire moqueur aux lèvres.

— Bien.

Pourquoi avait-elle la poitrine serrée soudain ? Parce que Marc prétendait bien la connaître ?

Physiquement, oui. Elle s'était donnée à lui comme jamais elle ne s'était donnée à aucun homme. Mais que savait-il de la vraie Libby ? A ses yeux, elle n'était qu'une femme intéressée et sans scrupules, une mystificatrice. Et il la traitait comme telle, il ne faisait que s'amuser avec elle. Car elle n'était pas dupe : elle était incapable de plaire à un homme comme Marc Clayton. Les femmes qu'il recherchait, c'était ces créatures de rêve avec qui il se montrait en photo dans les magazines. Des femmes appartenant au même univers doré que le sien, des stars de cinéma.

— Bon. Je vais me doucher, puis je sors, dit-elle avec un sourire qui se voulait désinvolte. Et je te saurais gré d'organiser cette rencontre avec mon père, Marc.

— Je le ferai dès qu'il sera là. Mais, comme je te l'ai dit hier, ce ne sera que dans quelques jours.

— Tu pourrais l'appeler maintenant, non ?

— Je pourrais, mais je ne le ferai pas.

La brutalité de cette réponse la heurta.

— Pourquoi ça ?

— *Primo*, à cause du décalage horaire. Et, *secundo*, parce que ton père a d'autres rendez-vous à honorer en priorité.

Cette façon de lui parler acheva de hérisser Libby.

— Eh, mon temps à moi aussi est précieux ! N'oublie pas qu'il ne me reste que quatre jours avant de rentrer à Londres.

— Je n'ai pas oublié, répondit Marc avec douceur.

Et, avant qu'elle ait pu deviner ses intentions, il se pencha, l'attrapa par un bras et l'attira dans le lit. Ensuite il roula sur elle, la faisant prisonnière de son corps, tandis qu'elle le fixait, le souffle court.

— Ah, c'est tout de même mieux ainsi, non ? chuchota-t-il en lui souriant, un éclair de triomphe dans les prunelles. Après tout, si notre temps est limité, autant en profiter pleinement.

— Marc, je ne…

— Quoi ? Tu n'es pas bien ici, avec moi ? murmura-t-il, coupant court à toute protestation tandis que sa main cherchait déjà sous lui le lien du déshabillé.

Un baiser sur ses lèvres vint clore radicalement toute autre tentative de rébellion. Déjà, elle se sentait fondre de plaisir. Et toutes les bonnes raisons qu'elle avait de lui tenir tête vacillaient.

— Je ne crois pas que ce soit une bonne idée, réussit-elle à marmonner.

Cela le fit sourire.

— Oh, si. C'est une très, très bonne idée !

Puis le renouveau de la passion emporta dans son tourbillon tous les doutes et les hésitations.

A son réveil, Libby tâta la place à côté d'elle dans le lit. Personne. Elle se redressa sur son séant. La chambre aussi était vide, les vêtements de Marc par terre avaient disparu. Hormis la bienheureuse léthargie qui engourdissait encore tout son corps, elle aurait pu croire que les événements de ces dernières heures n'avaient été qu'un rêve.

On frappa à la porte. Le cœur battant, Libby ramena le drap sur sa nudité.

— Entrez.

Elle n'aurait su dire si elle était déçue ou soulagée : c'était Marion qui lui apportait du thé.

Souriante, la femme de ménage posa son plateau sur la coiffeuse.

— Bonjour, mademoiselle.

Libby lui rendit son bonjour et la remercia de cette aimable attention, mêlant allègrement le français et l'anglais.

— Monsieur a pensé que vous préféreriez du thé plutôt que du café, remarqua Marion après avoir tiré les rideaux.

— C'est parfait.

— Ah, et il a dit qu'il viendrait vous chercher à 11 heures pour aller déjeuner à Nice. Il vous demande de ne pas être en retard parce qu'il n'a pas beaucoup de temps. Il devra être rentré pour 16 heures.

Pour qui donc se prenait Marc ? se demanda Libby en son for intérieur. Il s'invitait insolemment dans son lit, et voilà que maintenant il lui transmettait des ordres par l'intermédiaire de sa femme de ménage !

Eh bien, non, elle avait déjà décliné cette invitation à déjeuner hier, elle n'irait pas. Il ne devait pas s'imaginer qu'elle était prête à accourir au premier claquement de doigts !

Elle pensa faire répondre à « monsieur » qu'elle n'était pas libre. Cependant, envoyer Marc sur les roses ne lui apporterait peut-être pas grand-chose, réfléchit-elle, se rappelant par ailleurs le vieil adage selon lequel il vaut mieux surveiller au plus près ses ennemis.

Marion quitta la chambre, et Libby se laissa de nouveau glisser sous le drap.

Une partie d'elle-même avait toujours peine à concevoir qu'elle ait pu s'offrir à Marc. Elle, si prudente d'habitude dans ses relations avec les hommes, si réservée. Et surtout incapable d'envisager le sexe sans amour... Mais, après tout, ces aventures purement physiques n'étaient-elles pas monnaie courante aujourd'hui ? Pour Marc, ces ébats amoureux ne signifiaient rien. Et elle non plus ne devait pas y attacher d'importance !

Forte de cette résolution, Libby se leva et enfila son déshabillé avant de s'installer devant la coiffeuse pour boire son thé. Dehors, le ciel était aussi bleu que la veille, le soleil resplendissant, et il avait l'air de faire chaud. Quelle heure pouvait-il bien être ? Presque 10 h 30 ! constata-t-elle, horrifiée, en regardant sa montre. Il y avait une éternité qu'elle n'avait dormi aussi tard. Elle ne disposait que d'une demi-heure pour faire sa toilette et se préparer !

Elle allait se ruer sous la douche mais se ravisa. Pourquoi se presser ? Marc attendrait. Cela lui ferait les pieds.

Il était 11 h 15 et quart lorsqu'elle fut fin prête, et Marc n'était toujours pas arrivé. Ne voulant pas l'attendre en bas, elle resta dans la chambre à parfaire sa coiffure et son maquillage.

Aujourd'hui, elle se montrerait froide et distante. Il ne fallait pas qu'il croie qu'après les événements de la nuit passée il pourrait faire d'elle ce qu'il voulait !

En dépit de ces belles résolutions, pourtant, elle n'eut qu'à entendre sa voiture arriver pour que son cœur bondisse dans sa poitrine.

Un dernier coup d'œil machinal dans le miroir, et elle quitta la chambre. Elle avait mis son ensemble de lin blanc, jupe courte et petite veste cintrée, pour sa fraîcheur et son élégance intemporelle.

Comme elle refermait la porte de la chambre, Libby entendit Marc demander à Marion où elle était.

— J'arrive, lança-t-elle.

L'horloge comtoise sur le palier sonna la demie de 11 heures.

Libby s'arrêta au sommet de l'escalier pour regarder Marc en bas dans le hall d'entrée.

— Tu es en retard, lui fit-elle remarquer.

— J'ai pensé que, si je te disais 11 heures, tu serais certainement prête pour la demie.

— Tu es beaucoup trop sûr de toi, répondit-elle d'un ton léger, contente de parvenir à affecter la désinvolture.

Marc la regarda descendre l'escalier d'une allure princière, ses longs cheveux ondulant à chaque pas.

— Tu es magnifique.

Ce compliment fut loin de la laisser insensible. Et elle aurait pu le lui rendre ! En jean et T-shirt blanc, il était diablement sexy. Follement irrésistible. Elle lui aurait volontiers sauté au cou pour le dévorer de baisers… Mais elle resta sagement à distance respectable.

— Merci, dit-elle en réponse à son compliment. A vrai dire, je ne pensais pas déjeuner avec toi, mais j'ai changé d'avis.

— Tu m'en vois très heureux…

Marc la couva d'un regard qui ne fit qu'accroître son trouble. Puis il ouvrit la porte et l'invita d'un geste à le précéder à l'extérieur.

Libby passa devant lui et se dirigea vers la voiture, gênée de sentir presque physiquement ses yeux posés sur elle.

Il lui ouvrit la portière et, quand elle fut installée, alla prendre place au volant. Mais là, à son désarroi, au lieu de démarrer, il pivota vers elle.

— Alors, comment vas-tu ce matin ?

— Bien.

A son grand désappointement, elle se sentit rougir. Pourvu qu'il n'évoque pas leurs ébats de la nuit dernière ! pria-t-elle tout bas.

— Pas de maux de tête ? Pas de vertiges ?

Une lueur taquine semblait briller dans ses yeux noirs.

Libby se troubla. Se doutait-il qu'elle avait mal interprété le sens de sa question ?

— Euh... Non, non. Rien de tout ça, bafouilla-t-elle.

— Bon...

D'un doigt, Marc écarta doucement sa frange pour examiner la zone encore meurtrie sur son front.

Effarée, Libby reconnut la manifestation du désir dans la chaleur qui l'envahit à ce simple contact. Le parfum de l'eau de toilette de son compagnon flottait jusqu'à elle dans l'espace étroit de la voiture, réveillant dans sa mémoire des souvenirs troublants, sensuels. Elle n'aurait qu'un geste à faire, juste se pencher légèrement, pour se retrouver dans les bras de Marc... Parcourue d'un frisson, elle contempla sa bouche, étourdie par le flot d'images de leurs étreintes qui la submergeait.

— Est-ce que nous ne devrions pas partir ? souffla-t-elle.

— Tu es donc si pressée ?

— C'est toi qui l'étais, il me semble.

Marc sourit.

Elle détourna le regard et, à son soulagement, il mit en marche le moteur.

— Il faut te détendre, Libby. Je te sens crispée. Rassure-toi, je ne vais pas te sauter dessus.

— Je ne suis pas crispée, rétorqua-t-elle.

Et, comme elle en donnait malgré tout l'impression, elle ajouta sur le ton le plus désinvolte possible :

— Et je n'ai pas imaginé un instant que tu allais me sauter dessus... D'accord, nous avons couché ensemble, mais la page est tournée. Ni toi ni moi ne sommes assez naïfs pour nous faire des illusions sur le sujet.

Voilà, elle voulait le dire, elle l'avait dit !

— Très mûr comme raisonnement, commenta Marc.

— Parfaitement. En plus, ajouta-t-elle avec un sourire, je suis sûre que tu as toute une kyrielle de jolies filles à qui penser, et j'ai Simon.

— Une kyrielle, non. Je ne m'intéresse qu'à une seule femme à la fois.

— Ah !

Qui était l'élue du moment ? ne put-elle s'empêcher de se demander.

— Et, je me trompe peut-être, mais je n'ai pas l'impression que tu aies beaucoup pensé à Simon hier soir.

Avant qu'elle ait pu répondre, Marc enclencha la vitesse et la voiture fila le long de l'allée.

Quel insolent ! Il aurait mérité d'être remis à sa place. Mais, de son côté, peut-être aurait-elle dû s'abstenir d'évoquer Simon.

Quand il s'arrêta en face du portail électrique, Marc se tourna vers elle.

— Ça te contrarie que j'aie parlé de ton ex-petit ami ?

Elle hésita à s'en tenir à sa version initiale et à prétendre que Simon était toujours son petit ami. En la circonstance, cela ne lui paraissait pas opportun, aussi se contenta-t-elle de secouer négativement la tête.

— Tu sais, Libby, je voulais te dire que c'était très bien, nous deux, cette nuit.

Il devait tenir ce genre de discours à toutes ses conquêtes ! Mais elle n'en éprouva pas moins une petite bouffée d'allégresse. Les yeux de Marc qui l'observait se mirent à briller comme s'il se réjouissait de sa réaction. Puis il promena une main le long de ses cheveux, murmurant :

— Je propose que nous mettions un terme aux hostilités et que nous profitions pleinement de cette journée, d'accord ?

Comment parvenir à raisonner ? Quand il la touchait ainsi, la regardait ainsi, elle aurait dit oui à n'importe quoi.

— Quelles hostilités ? demanda-t-elle avec suavité.

106

Pour toute réponse, Marc lui sourit. Et, comme la grille s'ouvrait, la voiture repartit dans un vrombissement puissant.

Libby se sentait étonnamment heureuse, elle avait l'impression de flotter sur un nuage.

A Nice, Marc gara la voiture et ils allèrent marcher sur la promenade des Anglais. Le soleil était chaud, à peine tempéré par une brise marine qui soulevait de petites vagues serties d'écume blanche tout le long de l'immense plage. Ils s'arrêtèrent un instant afin de contempler la baie des Anges avant de quitter le front de mer, ses palaces et ses palmiers, pour rejoindre un quartier piétonnier où pullulaient bistrots, petits restaurants et boutiques de mode. Les vitrines étaient toutes plus alléchantes les unes que les autres. L'une d'elles retint plus longuement leur attention.

Marc lui désigna une robe du soir de mousseline blanche.

— Ce modèle t'irait bien, non ?

Libby fit la moue.

— J'aime beaucoup cette robe, mais je ne crois pas qu'elle ferait de l'effet sur moi.

— Ce n'est pas mon avis. Entrons, nous verrons ce qu'ils proposent d'autre à l'intérieur.

Avant qu'elle ait pu dire un mot, il la prit par la main et l'entraîna dans le magasin. Une vraie caverne d'Ali Baba. Robes, ensembles, chemisiers, elle n'avait jamais rien vu d'aussi ravissant. Sur l'incitation de Marc, elle alla essayer plusieurs modèles, dont la robe du soir de la vitrine.

— Avez-vous besoin d'aide, madame ? s'enquit la vendeuse qui attendait à l'extérieur de la cabine.

— Non, ça ira, je vous remercie.

Elle venait de découvrir le prix de la robe sur l'étiquette. Quel choc ! Inutile qu'elle l'essaie, elle ne pourrait pas se l'offrir. Vu qu'elle était déjà déshabillée, cependant, elle la passa.

Une pure merveille ! Elle resta en admiration devant son reflet dans le miroir, telle une enfant qui se serait déguisée en princesse. La robe, toute brodée de perles sur le devant, tenait sur les épaules par un jeu de bretelles croisées. Mais son charme résidait aussi dans sa coupe. L'étoffe sensuelle tombait divinement sur les hanches, épousant le corps de façon très sexy, lui dessinant une silhouette de rêve.

La vendeuse entrouvrit la porte du salon d'essayage.

— Parfait, commenta-t-elle avec un sourire. Il faut que vous la montriez à votre mari.

— Ce n'est pas mon...

Libby n'acheva pas sa phrase : l'employée avait déjà ouvert la porte pour que Marc puisse la voir.

— Tu es absolument ravissante, dit-il, l'enveloppant d'un regard admiratif.

La robe la flattait, devait-elle convenir. Elle n'en possédait aucune d'aussi belle.

— Tu devrais la prendre, ajouta Marc.

— Non, je ne pense pas, répondit-elle à regret, se rappelant son prix exorbitant. Je n'aurai pas vraiment d'occasion de la porter, je ne vais jamais dans des soirées très habillées.

— Un jour, elle pourrait t'être utile, qui sait ?

Mais Libby ne céda pas... au vif regret de la vendeuse, manifestement.

Elle retourna dans la cabine. Dès qu'elle eut ôté la robe, celle-ci vint la récupérer puis disparut.

Quand elle-même ressortit peu après, Marc n'était nulle part en vue dans le magasin, et la vendeuse s'affairait avec une autre cliente. Elle sourit à Libby en la voyant.

— Au revoir, madame. Au plaisir.

— Au revoir, répondit Libby en écho.

Sur le trottoir, elle regarda à droite et à gauche. Toujours aucune trace de Marc. Elle s'apprêtait à poursuivre son chemin au cas où il aurait pris un peu d'avance quand il parut à l'angle de la rue.

— Désolé. J'ai dû retourner à la voiture, j'avais oublié mon téléphone portable.

— Il n'y a pas de mal, répondit-elle en lui souriant.

— Cette robe t'allait à la perfection, remarqua-t-il tandis qu'ils reprenaient leur flânerie.

— Elle était très belle, oui. Mais tu as vu son prix ?

— Et alors ? Tu le vaux bien !

— Je n'aurais pas dû te céder et l'essayer, répliqua-t-elle en riant. La vendeuse était tout excitée, elle espérait bien que je l'achète !

— Moi aussi, j'étais tout excité, lui glissa-t-il malicieusement à l'oreille.

Puis leurs regards se croisèrent, et un frisson désormais familier la parcourut. Cela lui faisait une étrange impression de déambuler ainsi dans les rues avec Marc, de plaisanter… Il savait être de si agréable compagnie. Ce n'était pas Simon qui lui aurait conseillé tel ou tel vêtement. Ou l'aurait taquinée et aurait flirté avec elle si effrontément…

Mais prudence ! Elle ne pouvait pas faire confiance à Marc, lui rappela sa conscience. S'il lui accordait de son temps, s'il était gentil avec elle, c'était uniquement parce que son intérêt lui commandait de la tenir à l'écart des médias.

— Avant que nous allions déjeuner, peut-être pourriez-vous m'aider à faire quelques achats pour Alice ? Il lui faudrait de nouvelles robes pour l'été.

— Oh oui ! Ça me plairait beaucoup.

Elle le pensait vraiment. Il y avait quelque chose de très agréable à se promener ainsi dans les rues animées du vieux Nice avec Marc. Entre deux vitrines, il lui faisait admirer l'architecture d'une vieille maison bourgeoise, une place, une fontaine. Finalement, c'est dans un des grands magasins de l'avenue Jean-Médecin qu'ils trouvèrent un rayon d'adorables vêtements pour enfants.

Libby aida Marc à choisir différentes tenues pour sa fille. Ensuite, elle insista pour qu'il joigne à ses achats un petit ours en peluche très doux.

— Je suis sûre qu'il lui plaira !

Marc lui offrit un sourire reconnaissant.

— Merci, Libby.

Quand ils sortirent du magasin dans la chaleur de ce début d'après-midi, ils passèrent devant un musicien de rue qui chantait un air populaire en s'accompagnant à l'accordéon. Un rythme entraînant qui apportait une note de gaieté supplémentaire à cette belle journée. Il y avait foule aux terrasses des cafés et des restaurants. A l'ombre des parasols, on sirotait un apéritif, on dégustait des plateaux de fruits de mer ou des assiettes de crudités arrosés de grands verres de vin. Bientôt, ils arrivèrent sur le pittoresque marché aux fleurs dont les innombrables étals colorés couvraient presque toute la place. Autour, des restaurants déployaient leurs terrasses ombragées. C'est dans l'un d'eux que Marc l'emmena déjeuner.

De leur table en terrasse, Libby contempla le va-et-vient des passants et les gestes sûrs des fleuristes occupés à confectionner leurs bouquets.

— J'aime bien cet endroit, remarqua-t-elle.

— Moi aussi, il y a une atmosphère unique, approuva Marc dans un sourire. Que désires-tu prendre comme apéritif ?

Elle choisit un Martini. Il héla un serveur et passa la commande tandis qu'elle s'absorbait dans le spectacle de la place.

Bientôt, elle s'aperçut qu'il l'observait intensément. Dans ses yeux veloutés luisait un feu sombre qui eut le don de faire battre son cœur.

— Je suis content que tu m'aies accompagné aujourd'hui, dit-il avec douceur. Ça me fait plaisir de t'avoir avec moi.

— Moi aussi, je suis contente, murmura-t-elle, un peu gauche.

Puis, au cas où il interpréterait mal ses paroles, elle se hâta d'ajouter :

110

— Je veux dire, c'eût été dommage que je manque la visite de Nice. C'est une si belle ville.

— Bien sûr.

Marc lui sourit.

Le silence s'étira. Un silence qui n'avait rien de pesant. Au contraire, il était empreint de douceur, d'une étrange complicité. Marc ne la quittait pas des yeux. A quoi pouvait-il bien penser ? A leurs étreintes de la nuit ? Cette idée l'embarrassa.

— Quand ton ex-femme et ta fille arrivent-elles en France ? demanda-t-elle pour conjurer sa gêne.

— Ce soir.

— Ah, très bien ! Tu n'as plus longtemps à attendre, alors. J'espère qu'Alice aimera ses nouveaux vêtements.

— Je n'en doute pas, affirma-t-il avec un sourire.

Le serveur apporta leurs boissons. En buvant une première gorgée, Libby remarqua qu'une femme les observait d'une autre table à quelques mètres. Une femme jeune, avec une opulente crinière blonde, très jolie, et qui lui était vaguement familière. De qui pouvait-il bien s'agir ?

— Un problème ? fit Marc, la voyant distraite.

Discrètement, elle lui confia ce qu'elle venait de constater, y compris son impression d'avoir déjà rencontré la personne en question.

Marc jeta un coup d'œil dans la direction qu'elle lui indiquait.

— C'est une journaliste.

— Ah bon ? Comment le sais-tu ?

— Elle a interviewé plusieurs de mes clients.

— Je me rappelle maintenant où je l'ai vue ! Dans le restaurant où tu m'as emmenée le soir de mon arrivée. Tu te souviens ?

— Je me souviens de t'avoir emmenée au restaurant, mais pas d'avoir vu cette femme là-bas.

— Eh bien, elle y était. Elle m'a même adressé la parole quand je suis allée aux toilettes : elle m'a demandé si j'étais bien avec Marc

Clayton. Je parierais que c'est elle qui a prévenu les photographes de notre présence !

— Ah oui ? fit sèchement Marc.

— J'y mettrais ma main à couper !

Le voyant sceptique, elle sentit son cœur se serrer.

— Marc, j'espère que tu me crois ?

— Bien sûr, je te crois, répondit-il d'un ton suave.

Trop suave, peut-être. Elle ne put s'empêcher de douter de sa sincérité. Cet incident lui rappela les accusations blessantes qu'il avait formulées à son encontre lors de cette première soirée au restaurant… Mais elle se voulait optimiste : tout cela appartenait au passé. Depuis, ses rapports avec Marc avaient bien évolué !

Soudain, Marc se leva de table.

— Excuse-moi, Libby, je vais juste me débarrasser de cette femme.

Elle le regarda s'en approcher puis s'appuyer nonchalamment à la table pour lui parler. Elle eut beau tendre l'oreille, impossible de comprendre ce qu'ils disaient. Car ils s'exprimaient à voix basse et, de surcroît, en français.

Bientôt, la journaliste se leva et s'en fut.

— Voilà l'affaire réglée, annonça Marc à son retour.

— Que lui as-tu dit ?

— Que sa présence ici était indésirable.

— Et quoi d'autre ?

A sa question, Marc haussa un sourcil interrogateur.

— Tu lui as parlé pendant au moins cinq minutes, Marc.

— Ah bon ? Je ne me doutais pas que j'étais chronométré.

Libby ignora cette réplique acerbe.

— Lui as-tu demandé si c'était bien elle qui était au restaurant l'autre soir ?

— Non, Libby, je ne le lui ai pas demandé. Et ce, pour la simple raison que je t'ai crue quand tu m'as affirmé l'avoir rencontrée là-bas.

112

— Ah ! Dans ce cas, c'est très bien, fit-elle, soulagée.

Cela lui valut un sourire de Marc.

— Puisque tu tiens tant à le savoir, elle m'a posé les mêmes sempiternelles questions sur ma vie sentimentale : est-ce que j'avais une liaison avec toi ? Est-ce que j'allais retourner avec mon ex-femme ?...

L'étonnement et la consternation se partagèrent le cœur de Libby.

— Est-ce à l'ordre du jour ? demanda-t-elle sur un ton qui se voulait dégagé.

— C'est ce qui se raconte depuis quelque temps.

— Ah bon ? Je n'étais pas au courant !

Elle avait peine à cacher sa stupeur.

Mais, après tout, si Marc comptait renouer avec son ex-femme, cela le regardait, et lui seul ! Ce qu'il y avait eu entre eux cette nuit n'était qu'une éphémère flambée de passion. Une aventure sans lendemain, sans conséquence. Une simple passade... Et c'était très bien ainsi, se dit-elle avec force.

Mais pourquoi alors se sentait-elle si profondément triste ?

113

10.

Le serveur se présenta pour prendre la commande, et Libby essaya de fixer son attention sur le menu.

Une fois les commandes prises, Libby reprit la conversation.

— Comment as-tu fait, alors, pour te débarrasser de cette journaliste ?

— Je lui ai promis des révélations exclusives à la condition qu'elle débarrasse le plancher.

— Des révélations sur tes retrouvailles avec Marietta ?

— Je n'ai pas précisé, répondit nonchalamment Marc. Mieux vaut distiller les informations au compte-gouttes avec les journalistes.

— J'imagine…

Elle se mit à jouer avec son verre. Elle luttait contre l'envie de lui poser d'autres questions. Après quelques instants, ce fut plus fort qu'elle.

— Donc, il y a une part de vérité dans ce qu'on raconte sur vous ?

— Y a-t-il une part de vérité dans le fait que vous retourniez ensemble, toi et Simon ?

Elle haussa les épaules, ne sachant que dire, un peu désarçonnée par cette pirouette. Et elle éluda la question.

— J'ignore ce qu'il adviendra entre lui et moi.

— Pourquoi avez-vous rompu, en définitive ?

Cette question personnelle la mit très mal à l'aise, mais elle y répondit franchement.

— Principalement parce que je désirais un enfant, et lui non, fit-elle d'une voix grêle. Il ne l'a pas dit de façon explicite, mais… En fait, ce problème était toujours là, qui couvait entre nous.

— C'est un différend qui n'est pas mince, murmura Marc.

— Oui.

— Si tu veux mon avis, ce type est un imbécile, il ne te mérite pas.

Ces paroles firent se gonfler de bonheur le cœur de Libby. Elle essaya de les relativiser, de garder la tête froide.

— Merci pour l'estime que tu me témoignes, mais tu m'accusais il n'y a pas si longtemps d'être une femme bassement intéressée, il me semble ?

Elle espérait une réponse qui la rassure, mais Marc demeura silencieux. Aussi la question flotta-t-elle entre eux dans un silence qui devenait à chaque seconde plus pesant, plus douloureux.

— Dis-moi, pourquoi est-ce si important pour toi de revoir ton père ? s'enquit soudain Marc entre deux bouchées.

La question la surprit.

— Comment ? Tu ne le sais pas déjà ? Pour son argent, voyons.

— J'étais sérieux, Libby.

— Moi aussi, je le suis, répliqua-t-elle, affrontant son regard sans ciller. J'ai peine à concevoir que tu éprouves le besoin de me poser une question pareille. Voilà vingt ans, vingt longues années que mon père est absent de ma vie. J'ignore pourquoi il est parti, où il est allé. Tu ne te poserais pas de questions, à ma place ? Tu n'aurais pas envie de savoir comment ton père a vécu pendant tout ce temps, tu ne voudrais pas le rencontrer ?

— Disons que mes relations avec mon père sont sensiblement différentes des tiennes.

— Oh, je m'en doute. Mais je croyais avoir de bons rapports avec mon père. Peut-être à tort… Et, maintenant, j'aurai des questions à lui poser. Je sais que mes parents se sont séparés parce que ma mère est tombée amoureuse d'un autre, mais j'ignore pour quelle raison elle a cessé d'aimer mon père.

« Et pourquoi elle m'a fait croire qu'il était mort ! »

Mais elle ne pouvait dire cela à Marc. Dévoiler un tel détail, c'eût été manquer de respect à la mémoire sa mère.

— Tu ne sais pas pourquoi ? souffla Marc.

— Non. Ni pourquoi il a fallu que mes propres liens avec mon père se rompent aussi brutalement, murmura-t-elle. Je n'ai jamais pu en parler avec ma mère. Le sujet était tabou. Aussi, je crois que je veux juste me réconcilier avec ce passé, maintenant… Ça peut paraître idiot, je sais, mais c'est comme ça.

Pendant un moment, ce fut le silence.

— Non, ça n'a rien d'idiot, dit Marc avec douceur.

Elle croisa son regard de l'autre côté de la table.

— Je n'attends rien d'autre de mon père qu'un peu de temps. Qu'il m'accorde une demi-heure et je m'en irai.

— Je le lui dirai, Libby. Il doit m'appeler ce soir.

— Tu ne pourrais pas lui donner mon numéro de téléphone, tout simplement ?

— Je ne crois pas que ce soit une bonne chose.

— Pourquoi ?

— Parce que… parce qu'il appréhende un peu vos retrouvailles, j'ai l'impression. Il préfère que vous vous rencontriez physiquement plutôt que de t'avoir au téléphone.

— Ce sera plus facile, je le reconnais.

— Donc, nous en resterons à cela, conclut Marc.

Elle aurait voulu lui demander s'il avait changé d'opinion à son sujet depuis le début, mais, craignant d'être déçue par sa réponse, elle ne préféra ne pas poser la question.

Au lieu de cela, elle s'enquit d'un ton léger :

— C'est à ton tour de me parler un peu de toi. Quelles sont tes relations avec ton père, alors ?

116

— Oh, il n'y a pas grand-chose à en dire. J'ai toujours eu d'excellents rapports avec mon père. Mes parents sont mariés depuis quarante ans, ils ont élevé trois enfants et, même s'il leur arrivait de se disputer, c'était un couple très uni.

— A une époque où le divorce est roi, ce n'est pas une mince réussite !

— A qui le dis-tu ! Mon divorce a été une réelle épreuve. Heureusement, ma famille a fait corps autour de moi et m'a soutenu. Ça m'a beaucoup aidé.

— Pour quelle raison avez-vous divorcé ?

— Oh, dès le départ notre idylle a été assez tumultueuse. Marietta est entrée un jour dans mon bureau pour me demander d'être son agent. Nous ne nous connaissions pas. Deux mois après, nous étions mariés.

— Quelle histoire romantique…

— Oui, à ce moment-là tout était idyllique et nous pensions avoir fait le bon choix. Marietta était enceinte, nous étions sur un nuage, elle et moi… Je crois que ni l'un ni l'autre n'avait vraiment mesuré ce dans quoi nous nous engagions. Nous avons essayé de construire une vie de couple, mais, de par son métier, Marietta était souvent absente. Elle a eu une liaison avec son metteur en scène.

— Mon Dieu, cela a dû être terrible pour toi.

— J'ai traversé une période assez pénible. Et il m'a fallu soudoyer la presse pour étouffer l'affaire. Nous avons essayé ensuite de recoller les morceaux et de prendre un nouveau départ, mais ça n'a pas marché.

— Depuis combien de temps êtes-vous divorcés ?

— Deux ans. Et beaucoup d'eau a coulé sous les ponts depuis, fit Marc avec une moue désabusée.

— Donc, vous envisageriez de revenir ensemble ?

Quel écho sinistre faisait résonner en elle cette question !

— Non, je ne le pense pas. Pour Alice, le fait que nous ayons maintenu des rapports amicaux suffit. D'ailleurs, nous n'aurions jamais dû être plus que des amis, Marietta et moi.

Libby approuva d'un hochement de tête. Il était absurde qu'elle soit heureuse qu'il ne veuille plus renouer avec son ex-femme. Cela ne la regardait pas !

— C'est bien que vous ayez pu rester amis.

— Oui. Le plus important pour moi, c'est le bonheur de ma fille.

Ces paroles firent vibrer quelque chose tout au fond d'elle. Pendant un moment, ils restèrent silencieux, les yeux dans les yeux.

Elle aimait bien Marc, finalement, songea-t-elle. Son attitude envers sa fille, la place qu'il lui accordait dans sa vie contrastaient tellement avec le sort que lui avait réservé son propre père ! Mais elle se reprocha aussitôt cette pensée. Elle ne pouvait blâmer son père sans savoir ce qui l'avait poussé à un tel comportement. Peut-être quelque chose l'avait-il empêché de se manifester. Peut-être avait-il reçu des menaces de son beau-père. Sean en eût été capable. Mais peut-être aussi son père n'avait-il pas ressenti l'envie de la revoir, tout simplement.

Marc remarqua comme Libby s'était soudain rembrunie. Quel imbroglio ! Du père et de la fille, lequel disait la vérité ?

Car Carl maintenait qu'il avait tenté de reprendre contact avec sa fille mais qu'elle n'avait pas voulu le revoir jusqu'à maintenant. Et il n'appréciait pas du tout qu'elle soit venue à Cannes, à un moment qu'il jugeait très inopportun. En tant qu'agent de Carl, lui-même n'était pas loin de partager cet avis. Pourtant, quand Libby évoquait son passé, sa souffrance le touchait.

Il se secoua mentalement et essaya de se recentrer sur ses obligations professionnelles.

— Libby, veux-tu prendre encore quelque chose ?

Comme elle ne désirait plus rien, il lui proposa de rentrer.

— Je sais, dit Libby, tu as un rendez-vous à 16 heures.

Le retour s'effectua presque totalement en silence. A quoi pouvait bien penser Marc ? Il semblait si songeur…

Quand il s'arrêta devant la maison, il se tourna vers elle, et elle sentit cette alchimie familière rejaillir entre eux, les envelopper. Elle en avait presque le vertige.

— Eh bien, merci pour cette agréable équipée, Marc.

— Ce fut un plaisir.

— Tu veux entrer, ou tu es très pressé ?

Marc regarda la pendule sur le tableau de bord.

— Je dois avoir le temps de prendre un café.

Quand ils entrèrent dans la maison, elle se demanda si ce n'était pas une erreur de l'avoir invité. Elle qui s'était promis de garder ses distances… Le hic, c'est qu'elle n'avait pas envie d'être distante, et elle se réjouissait qu'il ait accepté.

— Tu vas devoir me guider jusqu'à la cuisine, dit-elle, s'efforçant de masquer une soudaine gaucherie.

— Deuxième porte à gauche.

— J'espère que je n'empiéterai pas sur les prérogatives de Marion en faisant du café ?

— Non. Marion doit être chez elle, dans l'annexe, à cette heure. Elle ne reviendra que pour préparer le dîner en fin de journée… Zut, j'ai encore oublié mon téléphone, dit Marc, s'arrêtant net. J'en ai pour une minute.

Libby poursuivit son chemin jusqu'à la cuisine. Celle-ci était grande, lumineuse et moderne, avec ses éléments laqués blancs, son plan de travail en granit, ses accessoires en Inox. Sur un côté, une table et des chaises composaient un coin repas avec vue sur le jardin. Ce devait être un endroit où il faisait bon vivre.

— Tu as une maison bien agréable, dit-elle à Marc à son retour.

— Elle n'est pas mal, oui, approuva-t-il distraitement en la regardant préparer le café.

— Pas mal ? On voit que tu es habitué à la perfection.

— Sans doute…

Comme elle passait devant lui, il la retint par le bras puis ajouta tout bas :

— Et c'est pour ça que tu me plaisais dans cette robe que tu as essayée à Nice. Tu étais parfaite, et diablement sexy.

Libby le regarda et se sentit comme aspirée dans le gouffre sombre de ses prunelles. Cette force invisible qui les attirait mutuellement l'un vers l'autre gagna encore en puissance.

Marc effleura sa joue.

— Et si nous oubliions le café ? lui souffla-t-il.

— Je te croyais pressé. Tu n'avais pas un rendez-vous ?

— Je peux le reporter, murmura-t-il, promenant un doigt sur ses lèvres en une affriolante caresse.

Ensuite, il s'empara de sa bouche. Ce baiser chargé d'une passion sauvage fit monter en elle en retour une folle excitation. Elle frissonna de bonheur à la sensation de ses mains qui glissaient sous son chemisier puis écartaient le soutien-gorge pour se mouler sur ses seins, les presser, les caresser…

Eperdue, elle s'abandonna au plaisir délicieux de cette étreinte. Quand elle sentit qu'il commençait à relever sa jupe, cependant, elle s'écarta dans un sursaut de raison.

— Pas ici, Marc.

— Pourquoi ?

Il l'avait soulevée et l'asseyait sur le plan de travail. Puis ce fut de nouveau l'assaut des baisers, et la passion atteignit un tel degré d'intensité que Libby en fut tout étourdie.

Sa veste et son chemisier avaient déjà cédé sous les caresses de Marc, ils étaient par terre. Son soutien-gorge suivit le même chemin, et elle finit par se retrouver le buste dénudé.

Elle ne cherchait plus à arrêter Marc, ne se demandait plus si c'était bien ou mal de faire ainsi l'amour dans la cuisine. Le désir avait annihilé en elle toute volonté. Seul comptait cet élan magique, irrésistible qui la poussait vers Marc.

Ce fut lui qui soudain s'interrompit.

— Un instant…

Il avait oublié ses préservatifs à l'étage, il fallait qu'ils montent.

N'était-ce pas l'occasion d'arrêter là ce tourbillon fou ? se demandat-elle confusément. Mais non, elle ne le voulait pas. Docile, elle laissa Marc la prendre par la main et la conduire à l'étage.

Libby ouvrit un œil. La douche coulait dans la salle de bains voisine. La chambre était plongée dans une quasi-obscurité, la laissant désorientée, ne sachant quelle heure du jour ou de la nuit il était.

Elle chercha à tâtons l'interrupteur de la lampe de chevet : 19 heures ! Marc avait donc manqué son rendez-vous. Elle ne s'en plaignait pas, pensa-t-elle avec un sourire au souvenir de la passion qu'ils avaient partagée. Cette fois, ils s'étaient aimés avec une fièvre exaltée, une ardeur impétueuse qui l'avaient laissée épuisée… mais tellement heureuse. Elle qui croyait que rien ne pourrait égaler l'émotion de leurs premières étreintes… Cela avait été encore plus fort. Quel pouvoir possédait donc Marc Clayton pour l'enflammer de la sorte ? Et, après l'amour, il avait cette façon si tendre de la serrer dans ses bras et de lui susurrer des mots doux !

Elle était amoureuse de Marc. Cette pensée jaillit comme un éclair dans son esprit.

Désespérément, elle tenta de la chasser, de nier l'évidence. Mais la réalité était là, irréductible. Jamais aucun homme ne l'avait fait vibrer comme celui-là. Et, si elle s'était offerte à lui de façon aussi absolue, c'était justement parce qu'il avait éveillé dans son cœur des sentiments d'une force inouïe. Ce qu'elle croyait être une simple attirance physique cachait en réalité de vrais sentiments. Elle aimait Marc !

Voilà donc pourquoi un possible retour de son ex-femme dans sa vie l'avait tant chagrinée. Et pourquoi cela lui faisait tant de peine qu'il voie en elle, Libby, une femme d'argent.

Le pensait-il toujours ? Impossible à dire. Au regard de son attitude envers elle, de la tendresse qu'il lui témoignait, elle avait peine à imaginer que ce fût toujours le cas.

Et, soudain, elle se prit à espérer que le bonheur partagé avec Marc ne soit pas une simple parenthèse, mais le prélude d'une longue histoire.

Là-dessus, elle se leva. Elle ne devait pas penser des choses pareilles. Tout cela était encore si fragile…

Ne voyant pas ses vêtements, elle se rappela tout à coup qu'elle et Marc avaient failli faire l'amour dans la cuisine. Ils devaient s'y trouver encore, et Marion tomberait dessus quand elle viendrait… si ce n'était déjà fait !

Confuse, elle enfila vite un pantalon et un T-shirt.

— Marc, je descends. Je reviens tout de suite ! cria-t-elle.

Mais, avec le bruit de la douche, il ne dut pas l'entendre.

Ouf, Marion n'était nulle part en vue au rez-de-chaussée. Libby rassembla en hâte ses vêtements. Le soutien-gorge avait glissé Dieu sait comment sous une chaise. Elle venait de le ramasser quand elle avisa un journal posé sur le coussin. Par curiosité, elle y jeta un œil.

Son regard fut immédiatement attiré par une photo de son père. Par chance, le journal était en anglais.

« Carl Quinton arrive à Cannes pour le Festival », annonçait la légende.

Elle regarda la date du journal, et un frisson glacé la parcourut : il était de la veille. Marc lui avait pourtant affirmé que son père n'arriverait que dans quelques jours !

La bouche sèche, elle commença la lecture de l'article.

« Décidément, le succès sourit à Carl Quinton. Après avoir brûlé les planches à Broadway, l'acteur, aujourd'hui âgé de trente-neuf ans… »

Trente-neuf ans ? C'était inexact ! Haletante, elle poursuivit sa lecture.

« … voit sa célébrité monter en flèche. Et il se murmure que, côté cœur, il a également matière à se réjouir. Carl et Julia Hynes, sa partenaire dans le film qui sera présenté à Cannes, seraient tombés amoureux. La ravissante Julia, de douze ans sa cadette, aurait tenu à faire un petit crochet par Paris pour trouver la robe de mariée de ses rêves avant de rejoindre à Cannes l'élu de son cœur… »

Quel crédit accorder à ces déclarations ? se demanda Libby, tout émue. En tout cas, le journal se trompait sur l'âge de son père. Il avait quarante-cinq ans et non trente-neuf.

Elle passa au dernier paragraphe.

« Rappelons que Carl Quinton a déjà convolé trois fois et a une fille de son premier mariage. Hélas, après maintes tentatives pour essayer de la revoir, Carl a dû se résigner : sa fille refuse tout rapprochement avec lui. »

Voir écrites noir sur blanc de telles ignominies lui broya le cœur. Etait-ce Marc Clayton qui avait soufflé ces renseignements à l'auteur de l'article ? Probablement !

Son père était-il déjà à Cannes ? D'une certaine façon, elle aurait préféré que l'information soit fausse. Au moins, cela signifierait que Marc ne lui avait pas menti.

Malheureusement, l'examen de la photo de son père anéantit cet espoir. Elle avait été prise sur la Croisette, la somptueuse façade du Carlton se devinait au fond.

Son désarroi fut immense. Ainsi donc, Marc lui avait menti… Rien d'étonnant à ce qu'il ait été si pressé de l'éloigner de Cannes ! Il l'avait bernée, il ne l'avait emmenée dans cette villa que pour la tenir à l'écart. Et avec quelle complaisance elle-même s'était pliée à ses desiderata ! Dire qu'elle s'était crue amoureuse de lui ! Qu'elle espérait même en retour des sentiments de sa part ! En réalité il devait bien rire d'elle dans son dos !

La douleur commença à se muer en elle en une colère froide.

Que faire désormais ? Quelle attitude adopter ? Mettre Marc au pied du mur, ou bien faire comme si de rien n'était et voir si elle pouvait tirer quelque parti de la situation ?

Un bruit de pas dans le couloir précipita sa décision : elle se tairait. Vite, elle remit le journal à sa place.

C'était Marion, qui parut étonnée de sa présence.

— Bonsoir, mademoiselle !

— Bonsoir.

La voyant regarder la chaise, Libby ajouta, l'air dégagé :

— J'étais venue chercher ma veste, je l'avais oubliée ici.

— Ah. Je vais préparer le repas. Savez-vous si monsieur dînera avec vous, mademoiselle ?

— Pas ce soir, non… Et, à vrai dire, je ne pense pas me mettre à table, non plus. Auriez-vous la gentillesse de m'appeler un taxi, Marion ?

Marion sembla embarrassée.

— Jacques peut vous emmener partout où vous voulez.

Sans doute, mais Libby n'avait pas besoin d'un chaperon qui épie tous ses faits et gestes et les rapporte à Marc !

— Merci, mais ce n'est pas la peine. Si vous voulez bien m'appeler un taxi, ce sera parfait.

Sur ce, elle se hâta de quitter la pièce.

Reprendre la situation en main lui redonnait un peu le moral. Il fallait espérer que Marc tienne sa promesse et lui fasse rencontrer son père, mais elle-même ne comptait pas rester inerte ! Pour commencer, elle allait chercher à savoir où était son père, puis elle irait le trouver.

A l'étage, au moment de rentrer dans sa chambre, elle entendit Marc qui téléphonait. Elle s'arrêta et tendit l'oreille.

— Excuse-moi d'avoir manqué notre rendez-vous, disait-il. J'avais une affaire en suspens à régler.

« Une affaire en suspens ». Voilà en quels termes il parlait d'elle !

Une souffrance mêlée de honte la submergea.

— C'est que je n'ai pas beaucoup de temps, à présent. Je dîne avec Marietta dans une demi-heure. Ne pourrions-nous pas nous voir plutôt demain, vers 10 heures ?

Parce que monsieur avait rendez-vous avec Marietta ! Lui aurait-il également menti à ce sujet ? Avait-il renoué avec elle ?

— D'accord, Carl… A bientôt.

« Carl » ! Marc était au téléphone avec son père !

Libby en tremblait. Les questions se bousculèrent dans sa tête. Son père savait-il seulement qu'elle était à Cannes ? Peut-être Marc Clayton jouait-il avec lui le même jeu qu'avec elle et n'avait-il pas dit à son père qu'elle était là ?

Cela ne l'aurait pas étonnée. C'était Marc qui, depuis le début, tirait toutes les ficelles. Qui avait répondu à son mail, qui était venu la chercher à l'aéroport, qui l'avait placée en lieu sûr loin de Cannes pour éviter qu'elle rencontre son père… Or, Clayton était avant tout un homme d'affaires. Il avait beaucoup investi sur la carrière de son père et ne souhaitait certainement pas qu'un grain de sable vienne enrayer la belle mécanique de son succès.

Elle l'entendait maintenant vaquer à ses occupations dans la chambre. A tout instant, il risquait de sortir et de la surprendre là. Aussi, rassemblant tout son courage, se décida-t-elle à entrer.

— Ah, te voilà. Je me demandais où tu étais, lui dit Marc avec un sourire.

Assis au bord du lit, habillé, il était en train de se chausser. Il avait le regard chaleureux, l'allure détendue, et elle s'efforça de donner la même impression.

— Je me suis souvenue que j'avais laissé mes vêtements dans la cuisine. J'ai préféré aller les chercher avant que Marion ne les trouve.

— En effet ! Elle aurait eu une drôle de surprise si elle était tombée sur ton soutien-gorge ! remarqua malicieusement Marc. Dommage qu'on n'ait pas pu faire l'amour dans la cuisine. La prochaine fois, je veillerai à avoir le nécessaire…

« Il n'y aura pas de prochaine fois ! » faillit-elle répliquer.

— Ça va ? demanda Marc.

— Oui, oui.

Il se leva du lit et, avant qu'elle ait pu s'écarter, l'attira vers lui. Un doigt sous son menton, il l'obligea à le regarder.

— Tu es sûre que ça va ? répéta-t-il avec douceur.

Une douceur qui fit se briser quelque chose en Libby. Que n'aurait-elle donné pour que tout soit plus simple et qu'elle puisse de nouveau se blottir dans ses bras, l'embrasser... Mais c'eût été pure folie.

— Tout va bien, oui, articula-t-elle avec difficulté.

— Bon...

Il sourit et son regard s'attarda sur ses lèvres.

— Sais-tu qu'à cause de toi j'ai oublié mon rendez-vous ? murmura-t-il. Ça ne me ressemble pas du tout.

— Le travail d'abord, je sais, fit-elle avec une pointe d'aigreur.

Il lui caressa la joue, et elle sentit poindre le désir.

— Malheureusement, je ne pourrai pas revenir ce soir. Nous ne nous verrons que demain matin.

— Pas de problème. Je n'avais pas prévu que tu reviennes.

Allait-il passer la nuit avec Marietta ? Quand bien même ce serait le cas, elle s'en moquait. Quelle idiote de s'être crue amoureuse de lui !

— Tu as l'air tendue, souffla-t-il en lui mordillant l'oreille. Je vais t'aider à te décontracter...

La sensation de ses lèvres éveilla en elle d'irrésistibles frissons de désir. Qu'il était difficile de ne pas succomber, lui offrir sa bouche en retour... C'était une torture. En même temps, cela l'agaça de se sentir si faible.

— Ça suffit, Marc ! dit-elle en s'écartant.

Il sourit.

— Tu as raison. Sinon, je n'arriverai jamais à partir d'ici.

Il consulta sa montre et prit son portefeuille sur le chevet.

— Au fait, j'ai un petit quelque chose pour toi, dit-il.

Il sortit de la penderie une grande boîte cartonnée portant le nom d'un célèbre styliste. Il la posa sur le lit, un petit sourire espiègle aux lèvres.

— Tu n'auras qu'à l'ouvrir quand je serai parti.

— Qu'est-ce que c'est ? demanda-t-elle, méfiante.

— Tu verras. Tu pourras l'ouvrir dès je m'en irais…

— Je préfère l'ouvrir maintenant.

Sans attendre son assentiment, elle prit la boîte, retira le couverte et écarta les feuilles de papier de soie.

— C'est la robe que tu as essayée ce matin, dit Marc, comme elle restait là à la regarder.

— Je vois ça.

Libby toucha la précieuse mousseline de soie, et soudain la colère l'embrasa. Il lui fut impossible alors de se retenir.

— Est-ce qu'il s'agit de ma rémunération ?

— Pardon ? Je ne te suis pas, fit-il, l'air surpris.

— C'est pourtant simple. Une femme d'argent comme moi espère forcément une rétribution. Et je suppose que c'est ce dont il s'agit !

Des tremblements de fureur agitaient sa voix, à présent.

— Je t'ai acheté cette robe parce que l'ai trouvée superbe sur toi, et je pensais te faire plaisir, répliqua-t-il sèchement.

Elle replaça le couvercle sur la boîte.

— Eh bien, sache que je vaux plus qu'une simple robe, fût-elle d'un grand styliste parisien. Si tu as l'intention de m'acheter, Marc, il t'en coûtera beaucoup plus cher.

— Quoi ? Qu'est-ce que tout cela signifie ?

— Oh, inutile de feindre l'étonnement ! La plaisanterie a assez duré. Il est temps de tomber le masque à présent.

— Comment ça ? Que veux-tu dire ?

— Je ne suis pas dupe, Marc ! Mon père est ici, à Cannes, je le sais. Tu m'as menti.

— Ah, c'est ça ?

La désinvolture de sa réaction décupla la fureur de Libby.

— C'est tout ce que tu trouves à répondre ? Tu t'es moqué de moi, tu m'as menée en bateau, tu m'as menti, et…

— Libby, calme-toi.

Comme il s'avançait vers elle, Libby leva les mains pour l'en empêcher.

— N'approche pas !

— Ecoute, je t'ai promis une rencontre avec ton père et je tiendrai parole.

— Quand comptes-tu l'organiser ? Dans cinq ans ? Dix ans ? Mon père sait-il seulement que je suis là, en France ?

L'embarras se lut sur le visage de Marc.

— Je m'en doutais ! explosa-t-elle. Tu n'es qu'un mufle !

Il se passa nerveusement la main dans les cheveux.

— La situation n'est pas simple, Libby.

— Pour toi, elle l'est. Je t'ai rudement facilité les choses, et tu m'as bernée, abusée !

— Pas du tout…

— Ah, tu trouves ?

Frémissante, elle alla chercher son sac de voyage dans la penderie et commença à y jeter pêle-mêle ses affaires.

— Libby, que fais-tu ?

— Ça ne se voit pas ? Je m'en vais.

— Tu ne peux pas partir comme ça. Il faut que tu te calmes, que nous parlions…

— J'ai dit tout ce que j'avais à dire !

Laissant volontairement la robe de mousseline sur le lit, Libby referma son sac puis se tourna vers Marc. En le regardant, elle ressentit au fond d'elle de la tristesse, des regrets de devoir renoncer aux rêves qu'il avait fait poindre dans son cœur, de savoir que plus jamais ils ne feraient l'amour ensemble. Très vite, elle refoula ses états d'âme. Tout n'avait été que mensonge et faux-semblants depuis le début ! Elle n'avait pas lieu d'avoir des regrets.

— Libby, je ne veux pas que tu t'en ailles. Pas comme ça.

— Oh, je sais. Tu préférerais que je reste sagement ici, hors d'atteinte des médias. Mais non, Marc, désolée. Désormais, c'est moi qui prends les choses en main.

Là-dessus, elle repoussa ses cheveux sur son épaule et y hissa son sac.

Marc se tenait en travers de la porte.

— Pousse-toi, s'il te plaît.

— Libby, je ne sais pas où tu comptes te rendre, mais nous sommes très isolés, ici. A pied, tu n'iras pas bien loin.

— Pousse-toi, je te dis.

Elle le fixait d'un air très déterminé. Elle crut qu'il lui tiendrait tête malgré tout. Mais, après un instant, il s'écarta.

Au rez-de-chaussée, Libby appela Marion.

— Avez-vous pu m'appeler un taxi ? lui demanda-t-elle sur un ton dégagé quand celle-ci arriva de la cuisine.

— Euh, non. La ligne était occupée, expliqua-t-elle après un regard incertain vers Marc.

Mais celui-ci s'interposa.

— Marion, faites ce que Libby demande, s'il vous plaît.

Marion acquiesça et s'en fut vers l'arrière de la maison.

— Nous pourrions nous voir demain au petit déjeuner pour discuter de tout cela, proposa calmement Marc.

Libby l'ignora et sortit de la maison.

Quelques instants plus tard, une longue limousine noire arrivait le long de l'allée et venait s'immobiliser devant elle.

11.

L'orage menaçait. Par la vitre de la limousine, Libby voyait des éclairs déchirer la nuit et jeter sur la mer leur lumière métallique, presque irréelle.

Mais elle n'avait pas vraiment l'esprit à s'y intéresser. Elle repensait à son face-à-face avec Marc et regrettait après coup de s'être emportée. Elle aurait dû feindre d'ignorer qu'il lui mentait, ne rien précipiter, et peut-être aurait-elle pu savoir où se trouvait son père. Seulement, elle s'était laissé déborder par ses émotions, par le chagrin, la colère…

Un grondement de tonnerre éclata, et la pluie se mit à tomber. Une pluie drue qui crépitait sur la carrosserie de la limousine, résonnant comme en écho aux battements de son cœur meurtri. Elle fit un effort pour ne pas céder aux larmes qui la gagnaient. Elle ne devait pas se rendre malheureuse à cause de Marc Clayton. Il ne le méritait pas ! Sortant un peigne de son sac, elle se recoiffa puis mit un peu de rouge à lèvres, désireuse d'arriver présentable à son hôtel.

Ils étaient à Cannes, maintenant. Libby regardait défiler les immeubles cossus et les hôtels le long de la Croisette illuminée. La façade caractéristique du Carlton avec ses deux coupoles à chaque angle se profila dans la nuit. Le Carlton… Cela lui rappela la photo de son père dans le journal.

— Jacques, nous n'allons pas à l'hôtel Rosette en définitive, dit-elle

130

sur une impulsion à son chauffeur. Ayez la gentillesse de me déposer devant le Carlton, voulez-vous.

Celui-ci acquiesça, et la limousine vint se garer devant le palace. Peu désireuse d'y entrer avec armes et bagages, Libby demanda à Jacques de bien vouloir l'attendre. Elle s'apprêtait à descendre quand une main ouvrit la portière de l'extérieur. Parapluie ouvert, un portier l'attendait…

Ainsi escortée, elle gagna l'entrée de l'hôtel.

Le hall était d'un luxe éblouissant. Libby en oublia un instant ses préoccupations pour admirer son style Art déco. Elle s'avança ensuite vers la réception. Une hôtesse renseignait une séduisante jeune femme vêtue avec chic d'un ensemble pantalon noir. Libby patienta, refoulant une nervosité grandissante à la perspective de revoir son père.

— Madame, que puis-je pour vous ? lui demanda un autre préposé.

— Pourriez-vous me dire si vous avez comme client M. Carl Quinton, s'il vous plaît ?

L'homme secoua la tête, l'air désolé.

— Je regrette, madame, il m'est impossible de vous répondre. Nous sommes tenus à un devoir de réserve vis-à-vis de notre clientèle.

— Je comprends, fit-elle, déçue. Je vais devoir trouver un autre moyen de le joindre… Peut-être pourriez-vous lui remettre un message de ma part, s'il venait à se présenter ?

— Volontiers, ça ne pose aucun problème.

L'employé lui donna du papier à lettres à en-tête de l'hôtel.

Comme elle prenait un stylo sur le comptoir, Libby vit la jeune femme à l'ensemble noir regarder alentour. Stupéfaite, Libby reconnut en elle Julia Hynes, la partenaire de son père au cinéma et, s'il fallait en croire la presse, sa future épouse !

— Si vous voulez bien signer ici, mademoiselle, disait à présent l'hôtesse à l'actrice. Nous allons faire monter vos bagages à votre chambre.

Libby hésita. Devait-elle se faire connaître ? Lui dire qu'elle était la fille de Carl et lui demander si son père consentirait à la voir ?

Mais, avant qu'elle ait pu se décider, l'ascenseur s'ouvrit, déversant un flot de clients dans le hall. On dut repérer Julia Hynes. Il y eut un murmure d'excitation, et la comédienne fut bientôt entourée par la foule qui lui demandait des autographes. Libby la perdit des yeux un instant, puis dans ce joyeux brouhaha elle la revit qui souriait à un homme en complet noir.

— Chéri, que je suis contente de te voir !

L'homme la serra dans ses bras. Comme il se retournait légèrement, Libby demeura le souffle coupé. C'était son père ! Aucun doute, c'était bien lui !

À cet instant, leurs regards se rencontrèrent par-delà la foule et restèrent suspendus l'un à l'autre. Lui aussi l'avait reconnue, elle en était sûre ! Un instant, ce fut comme si tout son environnement s'effaçait.

En apparence, son père n'avait guère changé. Certes, les années avaient quelque peu blanchi ses cheveux sur les tempes et souligné de rides l'angle de ses yeux, mais sans plus. Pourtant, il n'était plus le même. Comment expliquer ce qu'elle ressentait ? Elle retrouvait bien son père dans l'allure générale, mais il lui manquait quelque chose, peut-être l'essentiel. Cette chaleur dans le regard, ce je ne sais quoi dans sa personne qui faisait qu'il était « son papa » et pas n'importe quel homme...

Julia, volubile, lui parlait de Paris qu'elle avait trouvé « extraordinaire ». Elle ajouta dans la foulée :

— Au fait, il y avait une femme qui te demandait à la réception. Tu la connais ? Elle doit être encore là...

Julia commençait à scruter alentour.

Détachant ses yeux de Libby, Carl la prit par le bras.

— Non, je ne vois personne de ma connaissance ici. Ne nous attardons pas, chérie. Tu me raconteras tout de ta visite à Paris pendant le dîner.

Libby demeura paralysée de stupeur. Puis, tant bien que mal, elle surmonta le choc et tourna les talons. Puisque son père ne tenait pas à la voir, elle ne s'imposerait pas. Elle avait sa fierté.

Ce fut un soulagement pour elle de retrouver la limousine, où elle pouvait cacher son désarroi derrière les vitres teintées.

Son père l'avait reconnue, elle l'aurait juré ! Pourtant, il l'avait ignorée. Elle n'arrivait toujours pas à le croire. Comment pouvait-on montrer tant d'indifférence envers sa propre fille ?

— Où allons-nous, mademoiselle ?

La question du chauffeur la ramena à l'instant présent.

Elle n'hésita pas longtemps.

— Pourriez-vous m'emmener à l'aéroport ?

— Bien sûr, mademoiselle.

La limousine fila de nouveau dans la nuit.

Libby aurait aimé avoir une baguette magique qui l'emmène instantanément en Angleterre. Elle avait hâte à présent de quitter la France. Elle n'aurait jamais dû y venir !

Quand ils arrivèrent à l'aéroport, elle remercia son chauffeur puis entra d'un pas pressé dans l'aérogare.

Il y avait foule. Son billet de retour ne lui servirait pas, vu qu'il était valable pour une date ultérieure. Elle devait en acheter un autre, donc attendre son tour dans la longue file d'attente au guichet.

Les vols pour Londres étaient très chargés. La seule disponibilité qu'on lui proposa était sur un vol plus tard dans la nuit, à 2 heures du matin. Il n'était que 21 h 45. L'attente promettait d'être longue, mais tant pis. Elle accepta.

L'enregistrement n'ouvrant pas avant une bonne heure, elle devrait garder ses bagages avec elle jusque-là. Elle alla s'installer dans un café, commanda un jus d'orange puis regarda les allées et venues des passagers dans le hall pour tuer le temps.

Cela lui rappela ce jour pas si lointain où elle-même avait débarqué à Nice, un peu nerveuse mais confiante au fond. Que d'espoirs elle avait fondés dans ces retrouvailles avec son père ! Que d'espoirs déçus. La leçon à en tirer, c'était qu'on ne pouvait revenir en arrière, ressusciter le passé. Dans la vie, on ne pouvait qu'aller de l'avant.

Et puis, il y avait Marc. Elle se rendait compte à présent qu'elle avait eu tort de l'accuser de n'avoir pas informé son père de sa présence. Néanmoins, cela ne changeait rien au fait qu'il lui avait menti. Et c'était probablement lui qui l'avait fait passer aux yeux de la presse pour une fille ingrate refusant les tentatives de rapprochement de son père ! Marc Clayton était prêt à tout pour défendre ses intérêts. Difficile à croire de la part d'un homme qui par ailleurs s'était révélé si généreux en amour. Mais ces instants de passion n'avaient dû être qu'une simple récréation pour lui, un agréable passe-temps. En ce moment même, il devait dîner en tête à tête au restaurant avec son ex-femme…

Sa gorge se serra. Penser à Marc lui était insupportable.

— Libby ?

Cette voix familière…

Incrédule, elle leva la tête et découvrit devant elle l'objet de ses tourments. A moins qu'il ne s'agît d'une hallucination ? Mais non, c'était bien Marc, debout près de sa table, qui la regardait. Une violente émotion l'assaillit.

— Que fais-tu là ? articula-t-elle avec difficulté.

Il sourit.

— Je viens te chercher, évidemment.

Evidemment !

— Eh bien, tu n'aurais pas dû ! rétorqua-t-elle, irritée par tant d'aplomb.

— Tu permets que je m'assoie ?

— Non, Marc. Je n'y tiens pas.

Il s'installa malgré tout sur la chaise opposée, et une part d'elle-même se réjouit qu'il ne l'ait pas écoutée. Qu'il soit là. En réaction à ce stupide sentiment, elle le foudroya du regard et montra plus de fermeté.

— Marc, va-t'en, s'il te plaît !

134

— Il faut d'abord que nous nous expliquions, dit-il avec calme.

— Franchement, je n'en vois pas l'utilité... D'ailleurs, n'avais-tu pas un dîner avec ton ex-femme ?

— Oui, mais vu les circonstances j'ai préféré annuler, répondit-il sans paraître surpris qu'elle soit au courant.

— Quel est ton problème, Marc ? Tu as peur que la situation ne t'échappe ? Que j'aille trouver la presse et que je calomnie ton client ? C'est pour ça que tu es là ?

— Non. Et je ne te crois pas du tout capable d'une chose pareille.

— Vraiment ? Je suppose qu'à ce stade de la discussion tu vas me proposer d'acheter mon silence d'une façon ou d'une autre ?

Il secoua la tête.

— A ce stade de la discussion, je t'annonce que je viens te chercher pour t'emmener voir ton père.

— Pourquoi maintenant ? répondit-elle, prise au dépourvu.

— Parce que je suis un homme de parole. Je t'ai promis une rencontre avec ton père et je tiendrais parole.

— Eh bien, il est trop tard désormais.

Elle porta son verre aux lèvres et s'aperçut que sa main tremblait. Vite, elle le reposa avec l'espoir que Marc ne s'en soit pas aperçu. Mais il ne la quittait pas des yeux...

— Non, il n'est pas trop tard, dit-il avec douceur.

— Pour moi, oui. De toute façon, je rentre à Londres. J'ai déjà acheté mon billet.

— Puis-je voir ce billet ?

— Pourquoi ? fit-elle, intriguée. Tu ne me crois pas ?

— Bien sûr, je te crois. Simplement, je voudrais le voir.

— Bon... Si tu me laisses tranquille ensuite.

Résignée, elle sortit de son sac le billet et le lui passa.

— Décollage à 2 heures du matin... Ça me paraît difficile, Libby.

135

Elle allait répliquer quand, à sa stupéfaction, Marc fit disparaître le billet d'avion dans la poche de sa veste.

— Enfin, Marc, que fais-tu ? Rends-moi mon billet !

— Chaque chose en son temps. Je vais t'aider à porter ce sac.

Il s'était levé et allait prendre son sac de voyage. Elle voulut l'en empêcher.

— Certainement pas ! C'est inutile !

Plus prompt, Marc avait déjà la main sur la poignée quand Libby s'en saisit. A ce contact, elle lâcha prise d'instinct, comme sous l'effet d'une brûlure.

— Libby… Je cherche juste à arranger la situation, murmura-t-il.

Et la douceur inopinée de sa voix lui aurait presque tiré des larmes.

— Allons ! Ton seul souci, c'est d'éviter un scandale public avant la projection du film de ton client.

— Tu ne pourrais être plus éloignée de la vérité.

— Eh bien, je ne le crois pas. Je ne crois plus un mot de ce que tu racontes, de toute façon. Et maintenant rends-moi mon sac, conclut-elle en tendant la main.

— Non.

Ce fut dit avec une calme détermination.

— Marc, si tu ne me rends pas mon sac et mon billet d'avion, je fais un esclandre.

— Ah oui ? Et tu feras quoi, au juste ? répliqua-t-il avec un petit air amusé.

Il l'horripilait ! Comment avait-elle pu s'imaginer être amoureuse de cet homme ? Elle chercha frénétiquement une digne repartie.

— Eh bien, je crierai à l'agression !

— Tu peux toujours crier. Je dirai qu'il s'agit d'une chamaillerie d'amoureux. Tu sais, il en faut davantage aux Français pour se formaliser en matière d'affaires de cœur.

Déjà il s'éloignait, emportant le sac de voyage.

Après une hésitation, elle le suivit.

— Ecoute, Marc, je te le promets, je n'ai pas l'intention d'aller faire je ne sais quelles confidences à la presse à propos de mon père. Alors, rends-moi mon sac et mon billet d'avion et fiche-moi la paix !

— Ça ne m'est pas possible, répliqua-t-il sèchement.

Ils étaient dehors, à présent. La pluie avait cessé. Marc fit un léger signe, et Jacques s'avança jusqu'à eux au volant de la limousine noire. Il descendit pour débarrasser Marc du sac de voyage et leur ouvrir les portières.

— C'est Jacques qui t'a dit où me trouver, je suppose ? fit-elle avec aigreur, restant en retrait.

— Naturellement.

D'un geste, Marc l'invita à monter dans la voiture.

Libby ne bougea pas.

— Alors, tu montes ? Ou vas-tu m'obliger à te mettre de force à l'intérieur ? menaça-t-il.

— Je voudrais bien voir ça !

Le voyant approcher, cependant, elle s'engouffra illico dans la limousine.

— C'est un enlèvement ! protesta-t-elle, ulcérée, tandis qu'il prenait place à côté d'elle.

— Tu voulais voir ton père et j'entends exaucer ton souhait.

— Je te le répète, il est trop tard maintenant !

— Non, Libby. J'ai parlé à Carl, il t'attend à son hôtel.

— Je suis *déjà* allée à son hôtel !

— Je sais. Mais on te laissera entrer, maintenant que je t'accompagne.

Elle secoua la tête, et des larmes brouillèrent sa vision.

— Si, Libby. Et j'ai tout arrangé avec ton père. Il t'attend.

Libby ne sut que répondre. Comment avouer à Marc que son père l'avait déjà vue… et qu'il l'avait ignorée ?

La limousine filait de nouveau bon train en direction de Cannes.

Assise le plus loin possible de Marc sur la banquette, Libby feignait de regarder à l'extérieur, mais celui-ci reprit la conversation.

— Je voulais te dire, Libby, je regrette de t'avoir fait croire que ton père n'était pas encore arrivé en France. Sur le moment, ça m'a semblé un mensonge nécessaire.

Elle ricana.

— C'est ça, oui. Tu avais également omis de me préciser que lui et sa partenaire dans son dernier film étaient tombés amoureux.

— J'ai estimé que c'était à lui de t'en parler, pas à moi.

— De toute façon, mon père ne voulait pas me voir, n'est-ce pas ?

Marc ne répondit pas tout de suite, et la question en suspens pesa péniblement entre eux.

— Ton père vit sous tension depuis quelque temps, déclara-t-il enfin. Il n'est pas facile d'être sous le feu des projecteurs. Je sais que la situation est difficile pour toi aussi, mais il faut que tu essaies de te montrer compréhensive.

— Tu aurais dû me dire la vérité ! reprocha-t-elle avec force, se tournant vers lui.

— J'y ai songé… Mais je n'ai pas voulu te faire de peine.

— Allons, Marc ! Tu me crois si naïve ?

— C'est la vérité, je t'assure. J'ai sans doute eu tort de vouloir te cacher que ton père était à Cannes, je m'en rends compte à présent. Simplement, je répugnais à te dire qu'il n'était pas prêt à te voir.

Ces explications la mirent hors d'elle.

— Il a eu vingt ans pour s'y préparer ! Inutile de tourner autour du pot. La vérité, c'est qu'il n'a pas envie de me voir, voilà tout.

— Je vais être franc avec toi, Libby : Carl appréhende beaucoup votre rencontre. Mais c'était prévisible.

— Prévisible, pourquoi ? Parce que je l'aurais toujours fui ? J'aurais toujours refusé la main qu'il me tendait ? fit-elle d'un ton plein de dérision. C'est toi qui as livré ce morceau de choix à la presse, je suppose ?

138

— Je n'ai rien dit à la presse te concernant, Libby.

— Eh bien, je ne te crois pas !

— Pourtant, c'est la vérité, objecta Marc avec calme.

La façon dont il l'observait, avec une espèce de mélancolie, de douceur dans le regard, lui noua la gorge.

— Libby, je reconnais avoir commis des maladresses, mais je n'ai rien fait sciemment pour te nuire ou te blesser. En te proposant de t'installer chez moi, je voulais juste éviter les problèmes, faciliter les choses entre toi et ton père. Il n'était pas dans mon intention que cela aille aussi loin entre nous.

Il approcha une main pour lui effleurer le visage, mais elle se déroba, et la douleur en elle se fit encore plus aiguë.

— Mais il se trouve qu'à un moment je…

— Inutile de continuer, Marc. Je ne veux pas entendre la suite, interrompit-elle dans un cri du cœur.

Instinctivement, elle s'était détournée. « Il n'était pas dans mon intention que cela aille aussi loin entre nous. » Il ne devait pas voir comme ces mots l'avaient crucifiée.

— Et je ne veux pas voir mon père, ajouta-t-elle plus posément.

— Ne reviens pas en arrière maintenant. Autant que nous allions jusqu'au bout.

Facile à dire pour lui ! Pour elle, revoir son père alors qu'elle se savait indésirable à ses yeux, était une perspective trop douloureuse.

— Non, ce n'est pas la peine. Je veux rentrer chez moi, à présent.

— Tu as tort. Tu te sentiras apaisée ensuite, tu affronteras plus sereinement la vie…

Ces propos bienveillants firent de nouveau se nouer sa gorge.

— Ne fais pas semblant de comprendre ce que je ressens, Marc. Tu ne peux pas savoir, dit-elle, posant sur lui des yeux embués de larmes.

— Je crois que si, objecta-t-il avec douceur.

Elle secoua la tête, puis, se détournant, déclara :

— Pour toi, je ne suis qu'une opportuniste. Une femme insensible, seulement intéressée par l'argent…

— Non, je ne pense pas ça de toi.

La chaleur avec laquelle ce fut dit l'émut malgré elle, et elle sentit de nouveau les larmes la submerger. Mais elle réussit péniblement à se dominer.

— Ne mens pas, Marc. Je sais que, si tu es ici avec moi en ce moment, c'est parce que tu as peur que j'aille faire des déclarations à la presse sur ton précieux client. Tu cherches à le protéger envers et contre tout. C'est ce que tu faisais quand tu me racontais à l'instant combien il est éprouvant d'être sous le feu des médias.

— C'est toi que j'ai voulu protéger, Libby. Et j'ai essayé simplement de te faire comprendre que Carl subit un tel stress dans son métier qu'il n'a plus toute sa tête parfois.

— Il avait toute sa tête il y a quelques heures, quand il m'a superbement ignorée dans le hall du Carlton !

— Et il s'en veut terriblement.

— Ah, tu es au courant ? demanda-t-elle, un irrépressible frisson d'émotion dans la voix.

— Oui, j'ai eu un appel de Carl. Il était désespéré. Il faut que vous vous voyiez pour clarifier tout cela.

Juste après ces paroles, la limousine s'immobilisa devant le Carlton.

— Vas-y, Libby, fais-le, autant pour toi que pour ton père, souffla Marc en posant une main sur la sienne. C'est le seul moyen de tourner la page sur les fantômes du passé.

A la sensation de sa main, un irrésistible frisson courut sur sa peau.

Elle se dégagea.

— Je consens à lui accorder cinq minutes, dit-elle d'une voix rauque. Mais ensuite, Marc, je veux rentrer chez moi, en Angleterre.

Il acquiesça.

— Je t'attendrai dans le hall.

140

12.

A l'étage de la chambre de son père, Libby s'arrêta devant un miroir dans le couloir et rectifia sa frange pour camoufler la plaie encore visible sur son front.

Pourquoi se sentait-elle si nerveuse ? C'était stupide. Elle n'espérait plus rien désormais de ces retrouvailles.

Un instant après, elle frappait d'un coup ferme à la porte.

— Entrez. C'est ouvert.

La première chose qu'elle remarqua fut le luxe raffiné de la suite, avec ses baies donnant sur la Croisette. Des lumières tamisées éclairaient les lieux tandis qu'une musique douce jouait en fond. Elle avisa ensuite un homme debout dans la pénombre, à l'opposé.

— Papa ? fit-elle dans un souffle.

L'homme s'avança d'un pas et, avant même qu'il ne réponde, elle sut que c'était lui, son père. Comme il était crispé et semblait anxieux, lui aussi !

Libby était incapable du moindre mot, du moindre geste.

— Libby, je suis désolé pour… pour tout à l'heure. Je ne comprends pas comment j'ai pu agir ainsi.

La voix de Carl se brisa, puis il reprit :

— Je t'ai reconnue tout de suite, tu sais.

— Je m'en suis rendu compte, oui, fit-elle avec raideur.

— Marc m'avait montré des photos de toi. Mais je t'aurais quand même reconnue, bien que tu sois adulte à présent, et très belle. Tu ressembles toujours à ma petite fille… Et nous nous ressemblons.

— Il paraît, oui. D'après Marc, j'ai beaucoup de ton caractère. Je suis aussi têtue que toi.

Libby ne sut ce qui lui fit dire cela, mais l'atmosphère se détendit. Son père souriait.

— Marc est un garçon formidable. Et j'ai de la chance d'avoir affaire à lui dans mon métier. Il a une patience… C'est que je lui ai donné du fil à retordre, ces derniers temps.

— Ah bon ?

Carl fronça les sourcils.

— Oui… J'appréhendais tellement notre rencontre, Libby, que j'ai même envisagé d'annuler ma venue à Cannes. J'ai simulé un accident de voiture, mais Marc n'a pas apprécié. Il tenait à ce que je sois présent pour la projection de mon film. Il me répétait inlassablement qu'il fallait que je te voie, et je trouvais mille excuses pour me dérober. Je me prétendais malade, indisponible…

Un tel discours étonna Libby. Apparemment, Marc avait donc plaidé sa cause. Mais sans doute l'avait-il fait pour son intérêt personnel davantage que par réel désir de l'aider, supposa-t-elle, se voulant réaliste.

— Il t'aurait suffi de me dire que tu ne souhaitais pas me voir et je serais partie, remarqua-t-elle d'une petite voix.

— Ce n'est pas que je ne voulais pas te voir, Libby. Les choses ne sont pas si simples.

— Quelle est la raison, alors ?

Carl secoua tristement la tête.

— J'ai mal agi envers toi, Libby, j'en suis conscient. Et je crois que la faute en est à la culpabilité que je ressentais. D'abord, du fait d'être parti, puis du fait de tous les mensonges que j'ai racontés pour brouiller les pistes…

Là, son père se dirigea vers un buffet.

— Je prendrais bien un whisky. Est-ce que je te sers aussi quelque chose, Libby ?

— Non merci.

Elle s'assit sur l'accoudoir d'un fauteuil.

— Je regrette de n'avoir pas pris contact avec toi, reprit Carl tout en se servant. Et je ne parle pas seulement de ces derniers jours, bien sûr...

Il lui fit face, et elle hocha silencieusement la tête.

— J'ai essayé pourtant, poursuivit-il. Un an après avoir quitté ta mère, je suis revenu en vacances en Angleterre pour te voir. Mais tu étais dehors dans le jardin avec ta maman et ton beau-père, et vous aviez l'air heureux tous les trois... Tu étais toute jeune et je n'avais rien à t'offrir à l'époque, pas d'emploi digne de ce nom, pas de maison. Il m'a semblé préférable de m'en retourner.

— Je n'attendais rien de toi, papa, fit-elle, la gorge serrée. Je me serais contentée de te voir... Même d'une simple lettre de toi de temps en temps.

Les yeux de Carl s'embuèrent de larmes.

— Quel gâchis ! J'ai tout raté. Mon couple, mon rôle de père...

— Tu as fait ce que tu as pu, murmura-t-elle, charitable, ne sachant que répondre d'autre.

— Tout de même, ce n'était pas bien brillant. Vois-tu, ta mère et moi étions très jeunes quand nous nous sommes mariés. Et, pour être franc, les responsabilités me pesaient.

Libby vit la main de son père trembler sur son verre.

— Je sais que vous n'avez pas été heureux dans votre couple...

— Un jour, j'ai annoncé à ta mère que je partais. On m'avait proposé un job en Californie. Rien de mirobolant, certes, mais j'ai eu envie d'accepter. J'avais toujours rêvé de devenir comédien. Ta mère pensait que nous partirions tous, et... et je le lui ai laissé croire pendant un moment, mais...

Carl secoua la tête. Une expression tourmentée altérait ses traits.

— Ce n'est pas que je ne vous aimais pas, Libby, crois-le bien. Simplement, j'aurais été incapable de subvenir à vos besoins. Et il me fallait être libre. Ce n'aurait pas été une vie pour vous.

— Mais je croyais que c'était maman qui t'avait quitté pour Sean ?

— Non. Sean a simplement facilité mon départ. Au moins, je savais qu'elle avait quelqu'un sur qui compter.

— Tu veux dire qu'en fait maman a refait sa vie avec Sean parce que tu étais parti ?

— C'est plutôt ça, oui, murmura Carl. Je sais qu'il était très amoureux d'elle.

Soudain, tout devint plus clair dans l'esprit de Libby.

Sa mère avait dû tant souffrir d'être abandonnée — qui plus est avec la charge d'un enfant à élever. Epouser Sean avait dû être une décision difficile, mais elle était seule, malheureuse, toujours amoureuse de son mari et consciente qu'il ne reviendrait pas. Rien d'étonnant à ce que Sean ait montré tant d'animosité à l'égard de son père. Il devait savoir que sa mère aimait toujours Carl et il en était jaloux. Tout était réuni pour que les choses se passent mal.

La voix de Carl tremblait.

— J'ai agi égoïstement, je sais, mais, quand j'ai eu cette occasion de partir en Californie, je l'ai saisie.

— Et tu t'es dit que ta fille n'avait plus besoin de toi ?

— C'était un tort, j'en suis conscient également, mais je ne me rendais pas compte de ce que je laissais derrière moi. Et, si ça peut te consoler, Libby, les remords et la culpabilité n'ont cessé de me ronger depuis.

— Je ne veux pas que tu te sentes coupable, murmura-t-elle.

— Tu ne me croiras pas, mais tu as toujours été présente dans mes pensées. Juste avant ton dixième anniversaire, j'ai envoyé mon adresse à ta mère en lui disant que, si tu souhaitais me rendre visite, je serais ravi de te recevoir. Mais tu ne m'as jamais fait signe.

Libby se sentit pâlir.

144

— Maman ne me l'a jamais dit. Pire, peu avant mes dix ans justement, elle... elle m'a annoncé que tu étais mort.

Carl reposa son whisky et la fixa, horrifié.

— Mon Dieu. Je n'imaginais pas qu'Ellen me détestait à ce point !

— Oh, je ne crois pas qu'elle te détestait. A mon avis, maman cherchait simplement à protéger son couple, déclara-t-elle à la lumière des récentes révélations de son père.

— Tout de même, dire une chose pareille !

— Tout le monde commet des erreurs dans la vie, non ? fit-elle remarquer avec douceur.

— Oh oui. Et je ne suis pas en reste dans ce domaine. Pour preuve, j'ai été marié trois fois.

— Mais tu as rencontré quelqu'un d'autre, je crois ?

— Oui, et cette fois c'est vraiment le grand amour.

— Je m'en réjouis pour toi, commenta Libby avec un sourire. Je te souhaite d'être heureux.

— Merci, Libby, dit-il, cachant mal son émotion.

Puis, après un silence, il enchaîna :

— Je dois t'avouer que j'ai raconté beaucoup de mensonges à ton propos. J'en ai terriblement honte. Mais pouvais-je avouer à un homme tel que Marc Clayton que j'avais purement et simplement abandonné ma fille ? C'est un garçon si droit, si honnête, et lui-même a une fille qu'il adore. J'aurais perdu toute estime à ses yeux.

— Donc, tu lui as fait croire que tu avais maintes fois essayé d'entrer en relation avec moi ? Que tu m'avais envoyé des lettres, des cadeaux ?

Carl parut très gêné.

— Ce n'est pas grave, reprit Libby d'un ton brusque. Je n'attache pas d'importance à l'opinion de Marc.

Mais, alors même qu'elle prononçait ces mots, elle savait que c'était un mensonge. Un vœu pieux. En réalité, l'opinion de Marc était loin de la laisser insensible.

145

— Ce n'est pas seulement pour Marc que j'ai menti. Je ne voulais pas non plus passer pour un père indigne aux yeux de Julia… Et j'ai renouvelé ces mensonges à la presse.

— Moi qui croyais que Marc en était l'instigateur !

— Marc est un garçon trop bien pour ça. Pardonne-moi, Libby. Ce rôle de père de famille modèle dans mon film m'a un peu perturbé. Les gens m'imaginent semblable à mon personnage, et il n'est pas facile d'admettre qu'il n'en est rien. Mais je vais rétablir la vérité. Accorde-moi quelques jours, et tout le monde saura ce qu'il en est.

Libby haussa les épaules.

— Comme tu voudras, papa.

— Il faut que la vérité soit connue, j'y tiens… Dis-moi, Libby, voudrais-tu assister à la première de mon film ? s'enquit soudain Carl.

— C'est très gentil à toi, mais je commence à me lasser de l'agitation du Festival. Je crois que je vais plutôt rentrer chez moi.

— Tu viendras me voir en Californie, alors ?

— Peut-être, fit-elle en se redressant, la gorge serrée.

Mais Carl traversa la pièce, et tout à coup elle se retrouva dans la chaleur des bras paternels. Elle demeura ainsi, blottie contre Carl, et ce fut comme si le temps était aboli. Comme si elle redevenait sa petite fille, et lui le papa qu'elle n'avait jamais cessé d'aimer…

Libby sortit très émue de la suite de son père. Une page venait de se tourner sur un épisode douloureux de son existence. Elle allait pouvoir repartir, reprendre le cours normal de sa vie.

— Comment cela s'est-il passé ?

La voix de Marc la fit sursauter. Il l'attendait un peu plus loin dans le couloir.

— Bien.

Ils se regardèrent. La sollicitude qu'il lui témoignait éveilla soudain en elle une folle envie de se jeter dans ses bras.

146

— Alors, que vas-tu faire à présent ?

— Je rentre en Angleterre, bien sûr.

— Pour aller retrouver Simon ?

Simon ? Il était à des années-lumière de ses préoccupations.

— Est-ce vraiment important ? demanda-t-elle tout bas.

— Pour moi, oui.

Un élan de joie fit battre le cœur de Libby, avant que son réalisme ne reprenne le dessus.

Marc espérait peut-être la ramener dans sa villa pour l'empêcher de faire du tort à son père le temps de la promotion de son film ?

— Rassure-toi, je ne dirai rien à la presse.

Elle fouilla dans son sac à la recherche d'un mouchoir mais n'en trouva pas.

— Tu es triste, dit-il, posant une main sur son bras. Je t'en prie, Libby, ne pleure pas. Je n'aime pas te voir ainsi, malheureuse.

— Je ne pleure pas. C'est simplement que je suis un peu émue après cette visite à mon père, voilà !

Mais, en regardant Marc, elle sut que ce n'était pas seulement cela. En vérité, elle était amoureuse de cet homme, et l'idée de partir, de ne plus le revoir lui déchirait le cœur.

Elle trouva néanmoins quelque part en elle la force de se ressaisir.

— Je dois retourner à l'aéroport. En partant tout de suite, je devrais pouvoir attraper mon avion.

— Je ne pense pas que tu arrives à temps, Libby.

— Si, il le faut ! répliqua-t-elle en le fixant à travers ses larmes.

— Mais non, tu n'as qu'à rester ici avec moi.

Elle se dirigea vers les ascenseurs.

— Marc, je te le répète, tu n'as rien à craindre de moi. Je n'ai pas l'intention de saboter la sortie du film de mon père.

— Il n'est pas question de ton père, Libby. Ni de son film. Il est question de nous, déclara Marc avec calme.

Saisie d'un absurde espoir, elle se retourna.

— De nous ? Que veux-tu dire ?

Il la prit par la main pour l'entraîner vers l'ascenseur.

— Partons d'ici.

Les portes de la cabine étaient ouvertes, ils n'eurent qu'à entrer et Marc appuya sur le bouton du rez-de-chaussée.

— Je sais que tu es d'avis que tout peut recommencer entre toi et Simon, Libby. Mais, d'après moi, il ne mérite pas une seconde chance. Je pense que...

Marc s'interrompit. La cabine venait de s'arrêter à un étage intermédiaire, et un couple se joignit à eux.

— Nous en reparlerons tranquillement dans la voiture, lui glissa-t-il à l'oreille.

Libby frissonna. La proximité de Marc l'exaltait. Et elle avait beau se dire qu'elle ne devait pas boire toutes ses paroles, le seul fait d'être à ses côtés lui mettait le cœur en joie.

Que pouvait-il bien avoir à lui dire ? De toute façon, elle ne se laisserait pas embobiner. Elle devait tirer les leçons du passé.

Au moment où ils sortaient du Carlton, un éclair zébra le ciel, aussitôt suivi d'un formidable grondement de tonnerre. Heureusement, la limousine était là, qui les attendait. Ils montèrent, et la portière se referma sur eux, les laissant en tête à tête dans la pénombre au parfum de cuir.

La voiture démarra.

Si près de Marc, Libby se troubla. Elle se pencha pour parler au chauffeur.

— Jacques, emmenez-moi directement à l'aéroport, voulez-vous ?

— Il ne t'entend pas à travers la vitre, et il ne peut pas nous voir, lui dit Marc. J'ai fermé la cloison de séparation. Mais ne t'inquiète pas, je lui ai donné les instructions nécessaires.

— Ah. Ce n'est pas la peine que tu m'accompagnes à l'aéroport, tu sais. Je veux dire... tu avais un rendez-vous avec ton ex-femme, non ?

— C'était juste un dîner pour parler affaires. Marietta a décroché un premier rôle dans un film à grand spectacle qui va se tourner ici, dans la région. Et, comme il s'agit d'une trilogie, elle devrait rester basée dans le sud de la France pendant un certain temps. Au moins quatre ans, voire cinq.

— Est-ce à cela que tu faisais allusion quand tu disais que tu pourrais peut-être vivre ici et avoir ta fille près de toi ?

— Oui.

— C'est formidable ! Je me réjouis pour toi.

Mais Marietta ferait-elle aussi partie intégrante de sa vie ? Cette pensée était très désagréable.

— Je suis ravi, effectivement, acquiesça Marc. Il y a cependant une ombre au tableau…

— Ah bon ?

— Le fait que tu t'en ailles.

Elle le fixa, incertaine, s'interdisant de croire à l'espoir que ses paroles éveillaient dans son cœur.

— Je veux que tu restes, ajouta Marc d'une voix rauque.

— Que je reste… pour cette nuit ?

Il secoua la tête.

— Je sais que tu te crois toujours amoureuse de ce Simon, mais tu dois bien percevoir qu'il existe aussi quelque chose entre nous, non ? Quelque chose de très fort. Ce serait de la folie d'y renoncer.

Dans son effarement, elle ne put prononcer une parole.

— Je t'aime, Libby.

Il se rapprocha, lui prit les mains.

— Marc, ne dis pas des choses pareilles si… si tu ne le penses pas vraiment, murmura-t-elle d'une voix entrecoupée.

— Mais je le pense !

Il lui caressa tendrement la joue.

— Pardonne-moi, Libby, je ne peux pas m'empêcher de te toucher. J'ai tant besoin de toi que c'en est une souffrance.

Subjuguée, elle continua de le fixer en silence.

— Je n'aurais pas dû te mentir à propos de ton père. J'aurais dû t'avouer qu'il appréhendait vos retrouvailles. Mais le sujet avait l'air si sensible, tu semblais si fragile… Je n'en ai pas eu le cœur.

— Pourtant, tu ne penses pas grand bien de moi. Et tu as cru toutes ces sornettes qu'a racontées mon père à mon sujet.

— Au début, oui, j'en conviens. Je ne concevais pas qu'un père puisse vouloir couper tous les ponts avec sa fille. Et je n'avais aucune raison de ne pas croire Carl quand il se disait très affecté. Et puis… Et puis je t'ai rencontrée, Libby, et tous mes préjugés ont volé en éclats.

Une larme roula sur la joue de Libby sans qu'elle tente de le cacher.

— Dois-je en conclure que tu me crois enfin ?

Marc l'essuya délicatement de son pouce.

— Je t'en prie, ma chérie, ne pleure pas… Oui, je te crois. Dès que je t'ai rencontrée, j'ai commencé à avoir de sérieux doutes. Et, quand, par la suite, j'ai vu que Carl trouvait toujours une bonne excuse pour différer vos retrouvailles, j'ai compris qu'il n'était peut-être pas si sincère que ça.

— Tu as bien caché ton jeu !

— Au fond de moi, je devais avoir peur de commettre une erreur. Je ne veux plus avoir à revivre le chagrin que j'ai enduré avec Marietta… Aussi, j'ai joué la prudence, oui.

Après un court silence, il reprit.

— Et puis, quand tu es partie de la villa, j'ai réalisé que tu allais disparaître de ma vie et que je devais réagir et te faire part de mes sentiments, même si tu me repoussais. C'est pour cette raison que je suis venu te chercher à l'aéroport.

— Je croyais que c'était à cause du film de mon père…

Il secoua la tête.

— Je suis prêt à tout pour regagner ta confiance, Libby. Sache que, si je t'ai menti, cela a toujours été avec les meilleures intentions.

— Et tu n'es pas amoureux de Marietta ? souffla-t-elle, boule-versée.

— Non. C'est toi que j'aime. Toi seule, déclara-t-il avec feu. Et je n'ai aucune envie de te ramener à l'aéroport, même si je me doute que je ne peux te retenir ici contre ton gré.

— Tu peux toujours essayer, dit-elle malicieusement.

— Et Simon, alors ? demanda Marc, l'œil plein d'espoir.

— Simon ? Je ne suis pas du tout amoureuse de lui. C'est toi que j'aime, confessa-t-elle dans un mince filet de voix.

— C'est vrai ?

Le soulagement de Marc lui arracha un sourire attendri.

— Jamais je n'ai éprouvé avec aucun homme ce que je ressens avec toi, Marc. C'est tellement intense… Pour quelle autre raison crois-tu que je me sois donnée si… si passionnément à toi ? J'ai cherché à minimiser la chose, y compris à mes propres yeux, mais j'ai vite compris que Simon n'était pas l'homme de ma vie ! Avec lui, ça n'a jamais été ainsi…

Soudain, ils s'embrassèrent d'un même élan, et toute parole devint superflue. La fièvre de leur étreinte fut telle que Libby dut s'accrocher aux épaules de Marc.

— Pourtant, tu n'avais pas l'intention que cela aille aussi loin entre nous…, lui rappela-t-elle, haletante, quand il s'écarta.

— C'est vrai, je ne voulais pas tomber amoureux, avoua Marc. Depuis mon divorce, je suis très prudent dans mes relations avec les femmes. Et puis tu es apparue avec tes yeux magnifiques, ta grâce, ta sensibilité… Et j'ai succombé.

Libby l'écoutait, émerveillée, blottie contre lui.

— Oh, Marc, si tu savais comme je t'aime aussi…

Il s'écoula un long moment avant que l'un ou l'autre reprenne la parole. Les baisers et les caresses parlaient pour eux.

— Peut-être devrais-tu dire à Jacques de ne pas aller à l'aéroport, souffla-t-elle enfin.

— Nous n'allons pas à l'aéroport, ma chérie. Jacques nous ramène à la maison.

— En voilà des manières ! fit-elle, feignant d'être offusquée. Tu étais donc si sûr que j'accepterais ?

— En tout cas, j'étais décidé à me battre bec et ongles. Et puis, je savais qu'une fois à la maison cette extraordinaire alchimie entre nous reprendrait le dessus, ma chérie, et que je te reconquerrais…

Conquise, Libby l'était, bel et bien. Pour toute réponse, elle offrit de nouveau ses lèvres à Marc.

— Puisque me voilà pardonné, puis-je espérer que tu veuilles bien m'épouser, Libby ?

Doutant d'avoir bien entendu, elle s'écarta légèrement pour l'observer, stupéfaite.

— Marc, tu es sérieux ?

— Il ne me viendrait pas à l'idée de plaisanter avec un tel sujet, murmura-t-il, l'œil brillant.

L'émotion la submergea.

— Marc… Oh, Marc ! Je t'aime tellement. Bien sûr que je veux t'épouser !

La chaleur du baiser que lui donna l'homme de sa vie emporta Libby au firmament. Elle se lova contre lui, éperdue de bonheur.

Oh, comme elle aimait la force de son corps viril pressé contre le sien, la douceur de ses lèvres !

Mais plus exaltante que toutes les sensations était la certitude qu'ils s'aimaient. Le monde pouvait bien s'écrouler, rien ne pourrait altérer le lien qui les unissait.

Le nouveau visage
de la collection Or

◆

AMOURS D'AUJOURD'HUI

Afin de mieux exprimer sa modernité et de vous séduire encore davantage, votre collection Or a changé de couverture et de nom depuis le 1er mars 1995.

Rassurez-vous, les romans, eux, ne changent pas, et vous pourrez retrouver dans la collection **Amours d'Aujourd'hui** tous vos auteurs préférés.

Comme chaque mois, en effet, vous y attendent des héros d'aujourd'hui, aux prises avec des passions fortes et des situations difficiles...

COLLECTION
AMOURS D'AUJOURD'HUI :
Quand l'amour guérit des blessures de la vie...

Chère lectrice,

Vous nous êtes fidèle depuis longtemps?
Vous venez de faire notre connaissance?

C'est pour votre plaisir que nous avons
imaginé un rendez-vous chaque mois
avec vos auteurs préférés, vos
AUTEURS VEDETTE dans les
collections Azur et Horizon.

Les AUTEURS VEDETTE vous
donneront rendez-vous pour de
nouveaux livres vedette.

Pour les reconnaître, cherchez
l'étoile... Elle vous guidera!

Éditions Harlequin

HARLEQUIN

LE FORUM DES LECTEURS ET LECTRICES

CHERS(ES) LECTEURS ET LECTRICES,

VOUS NOUS ETES FIDÈLES DEPUIS LONGTEMPS?

VOUS VENEZ DE FAIRE NOTRE CONNAISSANCE?

SI VOUS AVEZ DES COMMENTAIRES, DES CRITIQUES À FORMULER, DES SUGGESTIONS À OFFRIR, N'HÉSITEZ PAS… ÉCRIVEZ-NOUS À:

> LES ENTERPRISES HARLEQUIN LTÉE.
> 498 RUE ODILE
> FABREVILLE, LAVAL, QUÉBEC.
> H7R 5X1

C'EST AVEC VOS PRÉCIEUX COMMENTAIRES QUE NOUS ALLONS POUVOIR MIEUX VOUS SERVIR.

DE PLUS, SI VOUS DÉSIREZ RECEVOIR UNE OU PLUSIEURS DE VOS SÉRIES HARLEQUIN PRÉFÉRÉE(S) À VOTRE DOMICILE, NE TARDEZ PAS À CONTACTER LE SERVICE D'ABONNEMENT; EN APPELANT AU (514) 875-4444 (RÉGION DE MONTRÉAL) OU 1-800-667-4444 (EXTÉRIEUR DE MONTRÉAL) OU TÉLÉCOPIEUR (514) 523-4444 OU COURRIER ELECTRONIQUE: AQCOURRIER@ABONNEMENT.QC.CA OU EN ÉCRIVANT À:

> ABONNEMENT QUÉBEC
> 525 RUE LOUIS-PASTEUR
> BOUCHERVILLE, QUÉBEC
> J4B 8E7

MERCI, À L'AVANCE, DE VOTRE COOPÉRATION.

BONNE LECTURE.

HARLEQUIN.

VOTRE PASSEPORT POUR LE MONDE DE L'AMOUR.

COLLECTION
HORIZON

Des histoires d'amour romantiques qui vous mènent au bout du monde!

Découvrez la passion et les vives émotions qu'apportent à la Collection Horizon des auteurs de renommée internationale!

Captivantes, voire irrésistibles, ces histoires d'amour vous iront assurément droit au coeur.

Surveillez nos trois nouveaux titres chaque mois!

♉ ♊ ♋ ♌

♋ L'ASTROLOGIE EN DIRECT ♍
TOUT AU LONG
DE L'ANNÉE.

(France métropolitaine uniquement)
Par téléphone 08.92.68.41.01
0,34 € la minute (Serveur JET MULTIMÉDIA).

Composé et édité par les
éditions Harlequin
Achevé d'imprimer en octobre 2006

BUSSIÈRE
GROUPE CPI

à Saint-Amand-Montrond (Cher)
Dépôt légal : novembre 2006
N° d'imprimeur : 61814 — N° d'éditeur : 12424

Imprimé en France